Waar beval ik?

Hellen Kooijman

# Waar beval ik?

*Thuis of in het ziekenhuis*

Spectrum

Uitgeverij het Spectrum
Postbus 97
3990 DB Houten

Eerste druk 2009
Omslagontwerp: Petra Gerritsen, Utrecht
Zetwerk: Elgraphic+DTQP b.v., Schiedam

ISBN 978 90 491 0338 5
NUR 851
www.spectrum.nl

# Inhoud

# Voorwoord

*Een unieke bevalling*

Het was een warme zondagmiddag. Een vriendin had me uitgenodigd om haar verjaardag te vieren in de tuin. Kinderen fladderden van struik naar speelgoedbadje. Volwassenen stonden nippend aan hun rosé op het gras. Ik praatte met wat bekenden. Tot er een dikke buik in ons midden verscheen. 'Gefeliciteerd,' zei ik. 'Eerste kind?' Ze knikte. 'Nog een maandje,' zei ze. De twee andere vrouwen raakten geïnteresseerd. 'Wat ga je doen?' vroeg de een, die net had verteld dat haar drie koters in eigen bed waren geboren. 'Thuis of in het ziekenhuis?' De hoogzwangere keek aarzelend. 'Ik weet het nog niet.' 'Ach,' maande de vrouw met drie kinderen. 'Thuis is zo lekker. Fijn in je eigen bed. Geen gedoe aan je lijf, geen witte jassen die komen kijken.' De andere vrouw had met opeengeperste lippen staan luisteren. Ze deed ze nu open. 'Dan heb je wel geluk gehad.' Ze richtte zich tot de dikke buik. 'Weet je dat de helft van alle vrouwen die hun eerste kind verwachten in het ziekenhuis belandt? Dat vertellen ze er niet bij. Anders had ik het wel geweten. Niets lekker thuis. Ik kreeg de hele rataplan: 24 uur creperen thuis en uiteindelijk toch nog in de auto naar het ziekenhuis. Met weeënopwekkers en toen dat niet werkte een keizersnee.' De thuisbevaldame slikte even. 'Nou ja, zo kan het ook.' Daarna herpakte ze zich. 'Maar toch. Meestal gaat het goed, hoor.' Er ontspon zich een verhitte discussie tussen de beide moeders over de voor- en nadelen van thuis bevallen. De hoogzwangere hoorde het met een verwarde blik aan.

Bevallen: het is een onderwerp dat altijd met veel emotie besproken wordt. Zodra er iemand zijn bevalverhaal gaat doen, komen andere ouders ook los. De een heeft een nog fortuinlijker bevalling dan de ander meegemaakt: 'Het was binnen twee uur gepiept, echt waar'. Of heeft juist twee dagen in de hel vertoefd: 'Dit doe ik nooit meer'. Wat opvalt bij al die verhalen, is dat ze veel kleur bezitten. Een subjectieve kleur. Want al bevallen vrouwen al duizenden jaren op dezelfde wijze, hoe dat voelt verschilt per persoon. Het is een cliché, maar toch is het waar. Elke bevalling is uniek.

'Waarom wil je dit boek schrijven?' was vaak de eerste vraag die aan mij gesteld werd als ik iemand sprak tijdens de voorbereidingen. Mijn antwoord: omdat ik benieuwd ben naar wat er steekt achter die venijnige discussies over wel of niet thuis bevallen. Ik wil weten hoe het komt dat nog steeds zoveel Nederlandse vrouwen hun kind in eigen bed krijgen, terwijl ze dit in het buitenland vaak maar vreemd vinden. Ik wil uitvinden of het echt zo is dat vrouwen een vrije keuze hebben tussen thuis of het ziekenhuis. En wat het betekent als het anders gaat dan ze verwachten. Kortom: ik wil weten hoe ons systeem functioneert. Niet op papier, maar in de veelkleurige praktijk. Om het daarna over te brengen aan degenen die ermee te maken krijgen, namelijk de zwangeren en hun partners.

Er werd me eveneens gevraagd naar mijn eigen ervaringen. Die zouden dit boek vast en zeker een bepaalde richting geven, was de gedachte. Laat ik vooropstellen dat ik geprobeerd heb om hetgeen ik zag niet zelf in te kleuren. Ik heb geprobeerd om te nuanceren en te relativeren waar ik dat nodig vond. Desondanks zal er misschien wat van mijzelf en mijn opvattingen tussen de regels zijn blijven hangen. Daarom hier mijn bevallingsverhaal.

Ik was hoogzwanger aan het einde van een hete zomer. In onze straat werd een buurtfeest georganiseerd. Om twee uur 's nachts stond ik nog tussen de lallende en moppentappende straatbewoners. Ik had een buik als een tafel. En drie biertjes op. Ordinair opgezopen uit een flesje. Ik had me de hele zwangerschap netjes gedragen: geen bier, geen al te vet eten, op tijd naar bed. Alles voor de kleine. En ik was het spuugzat. Nog een week, dan was ik officieel uitgerekend. Maar ik wilde zo graag weer normaal kunnen fietsen, lopen, winkelen en naar de wc gaan zonder dat die immense buik in de weg zat. Het kind mocht eruit, wat mij betreft. Alleen liever niet die nacht. Het idee dat ik mijn weeën lag weg te puffen, terwijl onder het open raam de laatste restjes dronken buren konden meegenieten, trok me niet erg aan.

Die nacht gebeurde er godzijdank niets, maar twee nachten daarna wel. Weeën doen pijn, wist ik ineens. Verrekte veel pijn. Ik had me aangemeld bij een praktijk met vijf verloskundigen, waar ik goede verhalen over had gehoord. Ik had ze alle vijf gezien, behalve de waarneemster die ik aan de lijn kreeg toen ik belde om te vertellen dat ik weeën had. 'Dat kan nog niet, hoor,' zei ze. 'Het zal wel een blaasontsteking zijn.' Dat was het niet en ik voelde dat ik daar honderd procent gelijk in had. Na een tijdje belde ik weer terug. Ze kwam en toucheerde: twee centimeter. 'Bij een eerste kind kan het lang duren,' zei ze. Een paar uur verder had ik er vier. Ze kwam weer en vroeg me waar ik wilde bevallen: thuis of in het ziekenhuis? Eigenlijk had ik nooit een voorkeur gehad. We zien het wel als het zover is, dacht ik. Maar op dat moment voelde ik: dit moet ik niet thuis doen en zeker niet met haar. Ik wilde naar het ziekenhuis. En zo snel mogelijk. De rest van het verhaal ben ik een beetje kwijtgeraakt. Ik had zwakke weeën toen ik aankwam en werd aan het infuus gelegd. Dat hielp, maar toen kreeg ik weer zoveel pijn dat ik pijnstilling wilde. Ik kreeg pethidine en dat vlakte de snerpende pieken wat af. Mijn vriend mocht op een stretcher naast me liggen. Af en toe kwam een klinisch verloskundige kijken.

Toen ik eenmaal mocht persen, had ik geen greintje kracht meer. De vacuümpomp werd erbij gehaald. Bovendien bleek mijn kind ook niet helemaal volgens het boekje te liggen. De gynaecoloog besloot tot een keizersnede. Daarna ging het allemaal vliegensvlug. Brancard op, ok in. Naald in mijn rug. Gerommel achter een groen laken. 'Alsof iemand in je buik aan het afwassen is,' zoals een lotgenoot het ooit verwoordde. En daar was ze. Een gezond vetwittig meisje, met zacht bewegende vingertjes en knipperende oogjes. En ze was het mooiste wat ik ooit had gezien.

Voor buitenstaanders klinkt dit wellicht als een horrorstory. Zo'n bevalling wil je niet. Toch kijk ik er met tevredenheid op terug. Om sommige momenten kan ik nog glimlachen. Om die getatoeëerde kale verpleegkundige die voordat hij me op de brancard duwde grijnzend vroeg: 'Kijk je graag naar *ER*?' Ik knikte. 'Hop. Echt *ER*.' Om de anesthesist die een wegwerpcameraatje voor ons kocht, omdat we natuurlijk vergeten waren een fototoestel mee te nemen. En om dat moment toen een vaag, rozig vlekje boven het groene doek werd getild en de gynaecoloog zei: 'Kijk eens' en ik besefte dat ik mijn lenzen (min 7) niet in had. De gynaecoloog legde haar hoofdje naast mijn wang. 'Zo, dan zie je haar wel.' Ik heb een bevalling gehad die verre van ideaal was, maar het was om nooit te vergeten. Omdat het onze bevalling was, van niemand anders.

# 1.

## The natural way

*Het Nederlands verloskundig systeem*

Selma en Marius wisten het bij de zwangerschap van hun eerste kind heel zeker: ze wilden thuis bevallen. In hun kleine woonkamer doen ze hun verhaal. Ze hebben zich op de bank genesteld, Selma met haar voeten onder haar billen, haar handen om een kop hete thee. Marius zit naast haar. 'In mijn eigen omgeving voel ik me vertrouwd,' zegt Selma. 'Dit is mijn eigen plekje. Hier kan ik me het beste ontspannen. En ja, ik heb ook wel een lichte angst voor artsen. Ik was bang dat ze te snel zouden ingrijpen.' Ze denkt even na. 'Vrouwen kúnnen bevallen. Dat doen ze al jaren. Bovendien, als het wel mis zou gaan, zouden we binnen tien minuten in het ziekenhuis zijn.'
In het midden van de woonkamer draait een wenteltrap stijl naar de eerste verdieping. Vanaf daar gaat een tweede wenteltrap naar de bovenste verdieping. Marius: 'Ik heb wel nagedacht over die trappen. We zaten helemaal boven, stel dat er iets zou gebeuren, hoe krijg je dan een brancard die twee steile trappen af? Het moest dus wel goed gaan. We hebben geen auto; van tevoren heb ik het telefoonnummer van een taxi op mijn mobiel ingetoetst. Maar ik zat er niet echt over in. Bovendien paste ik me aan Selma aan.' Hij lacht. Nou ja, niet in alles. Selma: 'Ik heb er even over gedacht om het zonder verloskundige te doen.' Marius veert op. 'Alsjeblieft niet. Dat vond ik te riskant.'

Selma wilde graag in bad bevallen. 'In bed krijg ik dat kind er niet uit, dacht ik. Al moet het dan wel honderd procent goed gaan. Zelfs bij een lichte complicatie mag je niet meer in bad bevallen. Als je bijvoorbeeld bloedarmoede hebt mag het niet.' Ze was een klein beetje angstig voor de bevalling. Marius wuift met zijn hand in de lucht. 'Ach, ik denk dat je door al die jaren dat je yoga doet weet hoe je moet ontspannen. Je zit ook goed in je ademhaling.' Selma knikt. 'Ja, dat is wel waar. Ik kan veel vertrouwen in mijn lichaam hebben.'

Toen de weeën om de drie minuten kwamen, belden ze de verloskundige. Die kwam met een stagiaire. Selma: 'Het was heel erg heftig. Ik dacht: als dit nog een hele nacht duurt, houd ik het niet vol. Maar eenmaal in bad kwam ik tot rust. Ik heb geen moment nagedacht over pijnstilling. Het was zo'n oerkracht. Ik wilde dat vol beleven. Ik werd helemaal overspoeld en dat was mooi.'

Toen Selma twee jaar later in verwachting was van de tweede, besloot ze om weer in bad te bevallen. 'Die bevalling ging zo goed als vanzelf. De verloskundige hoefde niets te doen.' Hun

## Cijfers & Onderzoek
• • • • • • • • • • • • • • • •

### Percentages thuisbevallingen[1]

| Periode | Percentage |
|---|---|
| 1953 | 78 procent |
| 1969 | 68 procent |
| 1983 | 35 procent |
| 1993 | 31 procent |
| 1995-1999 | 30,3 procent |
| 2000-2002 | 29,5 procent |
| 2005-2008 | 29,0 procent |

dochtertje kwam overdag, toen haar zoontje zijn middagslaapje deed. 'Om 12.15 ging hij slapen. Om 13.00 uur is onze dochter geboren. Hij werd wakker en toen had hij een zusje.'

**Goed om te weten!**

Het merendeel van de gezonde zwangeren wordt in Nederland begeleid door een eerstelijns verloskundige. Er zijn ook nog huisartsen die bevallingen doen. In Urk bijvoorbeeld kun je alleen maar bij de huisarts bevallen. In heel Nederland daalt het aantal bevallingen dat begeleid wordt door verloskundig actieve huisartsen snel. In 2002 was het nog maar 4,2 procent.

## The natural way

Baren is een fysiologische (normale gezonde) gebeurtenis en geen pathologische (ziekelijke), is de gedachte achter het Nederlandse verloskundige systeem. Gezonde vrouwen baren al eeuwenlang gezonde kinderen. Daar is niets voor nodig, behalve wat begeleiding. 'Als het allemaal goed gaat, kun je met je handen op je rug toekijken,' meent verloskundige Govi Hoskam, goed voor de coaching van 5000 bevallingen. Ook veel gynaecologen hangen deze visie aan. Zwangerschap is een volkomen natuurlijk proces, schrijft de NVOG (Nederlandse Vereniging voor Obstetrie en Gynaecologie) op haar website. Hoewel een deel van de gynaecologen er anders over denkt, lijkt de visie van de Nederlandse gynaecologen misschien wel het beste verwoord door AMC-gynaecoloog Maarten Schutte. In het boek *De vrouwenkliniek* van de journalisten Anita van Ommeren en Ageeth Scherphuis zegt hij: 'Er zijn altijd omstandigheden waarbij het medisch noodzakelijk is in het ziekenhuis te bevallen. Maar als het even kan zou je je kind zo moeten krijgen zoals je het hebt gemaakt: in de armen van je man in een lekker warm bed en met alles wat daar zo bij hoort.'

Als je een verloskamer huurt in een kraamhotel of ziekenhuis en je bevalt daar met je eigen verloskundige kan het ook 'the natural way' gaan. Maar, zo menen voorstanders van de thuisbevalling, de plek waar een vrouw het beste ontsluit is de plek waar ze zich het veiligst voelt, die het meest vertrouwd is en waar ze zich het beste kan ontspannen. En dat is thuis. Daar ben je op eigen terrein, kun je jezelf zijn en kun je hangen, schreeuwen en over de vloer kruipen als een beest. Daar kan de natuur ongestoord haar gang gaan, zodat de baarmoedermond zich goed opent en de vrouw de stevige weeën krijgt die nodig zijn om de klus te klaren. Of zoals thuisbevalgoeroe Beatrijs Smulders het verwoordt: 'Goede weeën zijn hét recept voor een goede bevalling. En bij een thuisbevalling maak je veel meer kans op betere weeën, daarom zijn we er zo voor.'

## Cijfers & Onderzoek

**Thuis minder interventies**

Laag-risicovrouwen die kiezen voor de kliniek hebben vaker medische interventies dan vrouwen die thuis willen bevallen. Bij de eerste groep komen meer vacuümverlossingen (17,9 versus 8,9) en keizersnedes (12,2 versus 3,4) voor. Bovendien zouden bevallingen bij de ziekenhuisstarters eerder ingeleid worden. Aan de andere kant laten vergelijkingen met thuisbevallingen in het buitenland zien

dat er in Nederland vaker een knip thuis wordt gezet en
vliezen worden doorgeprikt.[2]

## Goed om te weten!

**Iedere medische ingreep brengt een risico met zich mee**

Het gebruik van een tang of vacuümpomp kan schadelijk
zijn voor de bekkenbodem en vrouwen kunnen er in ernstige
gevallen blijvend incontinent door raken. Als je een keizersnede hebt ondergaan is er een klein – minder dan 1 op de
1000 – maar beduidend hoger risico op een doodgeboren
kind tijdens de volgende zwangerschap. En er is een iets
grotere kans op het scheuren van de baarmoeder. Zo'n
'uterusruptuur' kan leiden tot moedersterfte.

# Selectie

Op alle momenten van de zwangerschap en de bevalling is er een
risico op een kleinere of grotere complicatie. Je kunt tijdens de
zwangerschap suikerziekte ontwikkelen of een te hoge bloeddruk
krijgen. Soms groeit het kind niet goed. Tijdens de bevalling kan
het kind in het vruchtwater poepen of zich omwinden met zijn
navelstreng, om een paar voorbeelden te noemen. Ook na de bevalling is de kraamvrouw nog niet uit de gevarenzone. Soms
komt de placenta niet los. Of zijn kind en moederkoek compleet
en wel geboren, maar verliest de moeder te veel bloed. Kortom:
op alle momenten van de zwangerschap en bevalling kan fysiologie veranderen in (potentiële) pathologie. In die gevallen moet
je medisch ingrijpen.

Daarom zijn verloskundigen en verloskundig actieve huisartsen continu aan het screenen en selecteren. Vrouwen die al voordat ze zwanger zijn een hoger risico op complicaties lopen, bevallen onder verantwoordelijkheid van een gynaecoloog in de tweede lijn. De rest begint de zwangerschap bij een eerstelijns verloskundige of een verloskundig actieve huisarts. Net als huisartsen hebben verloskundigen en huisartsen die bevallingen doen een 'poortwachtersfunctie': ze sluizen elke zwangere die risico dreigt te lopen op complicaties door naar de juiste plek. Soms betekent dat een consult bij de gynaecoloog en kan de zwangere daarna weer terug naar de verloskundige. Soms is het nodig om onder controle van de tweede lijn te blijven.

Voor die doorverwijzingen gebruiken verloskundigen en verloskundig actieve huisartsen de VIL, de Verloskundige Indicatie-Lijst. De VIL is een boek vol richtlijnen die aangeven wanneer een zwangere medische hulp nodig heeft en naar het ziekenhuis moet. De VIL geeft in feite de scheidslijn aan tussen fysiologie en pathologie. De lijst is het screeningsinstrument bij uitstek. De laatste aangepaste VIL stamt uit 2003. Aan een nieuwe aanpassing wordt gewerkt.

## Eerste en tweede lijn

Met 'de eerste lijn' worden verloskundigen en verloskundig actieve huisartsen bedoeld, die bevallingen begeleiden bij laag-risicozwangeren: zwangeren die weinig kans lopen op complicaties. Mocht je meer kans maken op complicaties – een hoger risico hebben – dan kom je terecht bij de tweede lijn: het ziekenhuis. Binnen die tweede lijn werken – naast de gynaecoloog – andere professionals. Bijvoorbeeld klinisch verloskundigen: vroedvrouwen die speciaal zijn opgeleid voor het ziekenhuis. Arts-assistenten gynaecologie. En co-assistenten: studenten geneeskunde die voor hun studie praktijkervaring op moeten doen op alle afdelingen van een ziekenhuis en dus ook op de afdeling verloskunde en/of gynaecologie. De handelingen van al deze professionals in de tweede lijn vallen onder verantwoordelijkheid van de gynaecoloog. Als je kind zeer vroeg (eerder dan 32 weken) geboren dreigt te worden, kun je vanuit de tweede lijn doorverwezen worden naar de 'derde lijn': een perinatologisch centrum. De eindverantwoordelijkheid ligt ook daar bij de gynaecoloog, die dan ook wel perinatoloog wordt genoemd.

# Overheid

De thuisbevalling zou nauwelijks een bodem hebben als er geen steun vanuit de overheid voor was. Misschien komt het voort uit zuinigheid – een thuisbevalling kost immers slechts het loon van verloskundige en kraamverzorgende. Wellicht staat de politiek daadwerkelijk achter keuzevrijheid voor zwangeren. Feit is dat Nederlandse regeringen de thuisbevalling altijd een warm hart toedroegen. Toen eind jaren negentig door een tekort aan verloskundigen en een afnemend aantal verloskundig actieve huisartsen de thuisbevalling op de tocht stond, nam minister van Volksgezondheid Els Borst maatregelen om de thuisbevalling er weer bovenop te krijgen. In 2001 werd het primaat van verloskundigen afgeschaft, waardoor verloskundig actieve huisartsen in de openstaande vacatures konden springen. Er kwam geld voor de uitbreiding van het aantal plaatsen op de opleidingen in Amsterdam, Rotterdam en Maastricht plus een extra bedrag voor een vierde verloskundige opleiding in Groningen. Toen in de zomer van 2008 bleek dat verschillende steden kampten met een genadeloos tekort aan kraamverzorgenden, kwamen er extra bedragen vrij om die tekorten op te heffen.

····· ··· ··· ··· ··· ····· ··· ··· ··· ··· ··· ··· ···

### De rol van de kraamverzorgende

De verloskundige krijgt bij de partus assistentie van een kraamverzorgende. Die is idealiter al aanwezig voordat de persfase aanvangt. Als de geboorte 's nachts plaatsvindt, blijft ze na de geboorte nog circa twee uur om te waken over moeder en kind. Zij is alert op mogelijke infecties of onverwachte bloedingen. De kraamverzorgende waakt eveneens in de week na de bevalling. Als zij een infectie of ander onheil bespeurt, schakelt ze de verloskundige in; die is eindverantwoordelijk. Daarnaast leert de kraamverzorgende de moeder en vader hoe ze voor het kind moeten zorgen.

## Bazin in eigen huis

In 1994 vestigde de Amerikaanse socioloog Raymond de Vries – gezegend met Nederlandse voorouders – zich in een dorp bij Hilversum om zestien maanden lang het Nederlandse verloskundige systeem te bestuderen. Hij tekende zijn bevindingen op in het 250 pagina's tellende boek *A pleasing birth. Midwives and maternity care in the Netherlands* dat in 2005 verscheen. Het is de meest recente diepgravende sociologische studie over de thuisbevalling. Wat De Vries vooral fascineert aan ons systeem is niet het gegeven dat er thuis gebaard wordt; dat doen vrouwen in andere westerse landen ook, al is het meestal per ongeluk als de baby te snel het licht wil zien. Nee, De Vries verbaast zich over het feit dat de thuisbevalling in Nederland gestimuleerd wordt. Om de redenen daarvoor te achterhalen dook hij in de cultuur en mentaliteit van de Nederlanders. Hij komt met intrigerende verklaringen. Nederlanders, zo meent de Amerikaan, zouden meer dan andere volkeren gericht zijn op privacy en gezelligheid. Huiselijkheid zou door de Nederlanders zijn uitgevonden. Meer dan in andere westerse landen vormt in Nederland het gezin de kern van de samenleving. En een gezin, zo legt De Vries uit, bestaat uit vader, moeder en de kinderen en dat is wat anders dan familie – waarvan ook opa's, oma's, neven en nichten deel uitmaken.

Interessant is de rol van de Nederlandse moeder. Met behulp van allerlei demografische becijferingen blikt de socioloog terug op de twintigste eeuw. Wat opvalt, is dat in vergelijking met de buurlanden Nederlandse vrouwen tot aan 1970 meer kinderen baarden. Zo had in 1960 de gemiddelde Nederlandse moeder 3,15 kinderen. In België was dat 2,56 en in Duitsland 2,41. Tien jaar later was het aantal kinderen gezakt naar 2,58, maar Nederland voerde nog steeds de lijst aan. Nederlandse vrouwen werkten tot zo'n dertig jaar geleden minder buiten de deur dan hun zusters in de omringende landen en als ze dat deden was dat overwegend parttime. Daarnaast, zo schrijft De Vries, blijkt uit sociologische studies dat Nederlandse gezinnen aanzienlijk autonoom waren. Bemoeienissen van buitenaf werden niet snel getolereerd. Lange tijd was er ook weinig animo voor kinderdagverblijven.

De moeder, zo analyseert De Vries, had thuis de broek aan. En –

en dat is opmerkelijk – die vrijheid kreeg ze ook van haar man. De Vries noemt daarnaast het typisch Nederlandse 'Doe maar gewoon' en de afkeer van doktoren en ziekenhuizen wat blijkt uit minder frequent artsenbezoek en minder gebruik van medicijnen dan in de buurlanden. Hij telt de boel bij elkaar op en komt tot de conclusie dat het niet zo vreemd is dat Nederlandse vrouwen tot op de dag van vandaag hun kinderen liever thuis willen baren. Thuis is haar wereld. Daar is zij heer en meester, thuis deelt zij letterlijk en figuurlijk de lakens uit.

Er valt heel wat af te dingen op de analyses van De Vries. En hij is zelf de eerste die zijn gebreken aankaart. Niet elke Nederlandse vrouw denkt en handelt immers hetzelfde. En dat geldt ook voor haar partner. Bovendien is er een hoop veranderd in de afgelopen decennia. Nederland is bijvoorbeeld een multiculturele samenleving geworden en migranten denken vaak heel anders over zwangerschap en geboorte. Desondanks, zo beredeneert De Vries, bestaat de meerderheid van de zwangeren en de beleidsmakers in Nederland uit vrouwen en mannen die 'ondergedompeld' zijn in bovengenoemde Nederlandse culturele ideeën.

## Voor en na: Miranda
### Voor:

'Van mijn eerste drie kinderen beviel ik thuis. Ik vind dat ideaal; je bent dan in je eigen omgeving. Het lijkt me verschrikkelijk om halverwege weg te moeten. Aan pijnbestrijding heb ik nooit gedacht. Ik vind het eigenlijk wel stoer zonder. En je vergeet de pijn ook weer. Bij de jongste maakte ik me tijdens de bevalling wel zorgen. Ik dacht: ik heb nu twee gezonde kinderen, misschien dat die derde dan toch niet gezond is. Maar ik heb geen prenataal onderzoek gedaan. Ook als het niet gezond is, is het welkom. Wel hoop ik dat de verloskundige dit keer op tijd is. Ze kon bij mijn laatste bevalling nog net haar handschoenen aandoen, zo snel ging het.'

**Na:**

'Ik ben bevallen van een gezonde zoon. Thuis. Er gaat volgens mij niets boven thuis bevallen. Ik voelde me op mijn gemak, heb nog lekker kunnen douchen en de andere drie kinderen konden gewoon doorslapen. Alles ging voorspoedig en weer erg snel: in totaal duurde het maar vijf uur. Wel had Maarten de navelstreng strak om zijn nek. Ik moest een perswee wegzuchten zodat de verloskundige de streng door kon knippen. Daarna mocht ik weer verder persen.'

## Op stap met de verloskundige

*Zondagochtend 9.00 uur. Heleen Kool (44) pikt me op met haar auto bij de verloskundigenpraktijk in Zeist. Heleen, een bos gekortwiekte krullen, kuitbroek met hoge laarzen en een witte blouse, licht me in haar auto in. Ze heeft slechts een paar uur geslapen. De avond ervoor heeft ze een bevalling in het ziekenhuis gedaan. Die ging goed, maar het was toch even spannend. Het jongetje was vrij strak omstrengeld door zijn navelstreng. 'We hebben een klein beetje zuurstof toegediend, waarna hij goed roze kleurde.'*
*Om twee uur 's nachts lag ze in bed, om er om zeven uur*

's ochtends weer uitgebeeld te worden. Een Marokkaanse man, een eerste kind. Zijn vrouw had om de vier à vijf minuten weeën. '"Maar ze kreunt nog niet, hoor," riep hij door de telefoon.' Heleen lacht. 'Ik zei: maar ik denk wel dat ze gaat bevallen. Nadat ik rustig mijn ontbijtje genomen had ben ik gaan kijken. Ze bleek twee centimeter ontsluiting te hebben.' Daarna reed ze nog twee visites. Is ze niet moe? Ze maakt een gebaar met haar hand. 'Ach, ik kom de dag prima door.'

We rijden een wijk met lage betonnen flatgebouwen in. Een jonge Marokkaanse vrouw heeft haar vierde kind gekregen. In de kliniek. Het kindje pakt de borst niet goed, maar de vrouw wil wel de kraamzorg afbouwen. Heleen: 'Ik wil zien of ze de zorg alleen aankan.' De volgende rit is naar de 'nog niet kreunende Marokkaanse'. Fatima woont in een armoedig flatje op twee hoog. Terwijl we bij de deurbel staan, zegt Heleen: 'Zij wil in het ziekenhuis bevallen, en ja, die ga ik niet ompraten, dat heeft geen zin.' Ik ben verbaasd. Waarom zou je dat willen? 'Omdat ik weet dat de meeste vrouwen thuis veel beter in hun weeën zitten. Als je halverwege naar het ziekenhuis gaat, verstoor je de bevalling. Maar,' zo vervolgt ze, 'je moet natuurlijk de zorg geven die een vrouw behoeft. En zij wil poliklinisch, dus doen we dat.' Fatima is aan het douchen als we binnenkomen. Ze is begin twintig, haar ogen kijken angstig. Op het nachtkastje prijkt een foto van een bruidspaar, erboven hangt een foto van haarzelf, met hoofddoek voor een klaterende knalgroene waterval. Heleen gaat op de rand van het bed zitten, kijkt het meisje ernstig aan en stelt haar gerust. 'Het doet pijn. Maar je gaat er niet van dood.' Het meisje glimlacht. Heleen toucheert. Drie centimeter. Dat vindt ze te weinig voor al die uren dat Fatima bezig is. Terwijl het meisje een wee opvangt, prikt ze met een soort witte, platte haaknaald een gaatje in de vliezen. Er stroomt bruingeel vruchtwater naar buiten: meco-nium. Fatima moet overgedragen worden aan de gynaecoloog in het ziekenhuis. Terwijl het meisje haar hoofddoek ombindt en een dikke lange winterjas aantrekt, belt Heleen het zieken-huis van Fatima's voorkeur. Helaas is het ziekenhuis vol; er lo-pen vijf bevallingen en er is niet voldoende personeel om er een zesde bij te doen. Ze belt een ander ziekenhuis: ook vol. Dan maar het ziekenhuis in Nieuwegein. Dat is zeker 15 minuten rijden vanaf Zeist, maar het is de enige optie. We lopen de trap af, Fatima voetje voor voetje, haar buik ondersteunend, af en toe een wee wegzuchtend. We rijden achter haar man aan. Heleen heeft geen tomtom. Naar dit ziekenhuis rijdt ze bijna nooit. En hij weet exact de weg.

In het ziekenhuis krijgt Fatima twee riemen om haar buik. Een vriendelijke verpleegster brengt haar water. Fatima trekt haar hoofddoek af en gooit deze met een boog in de schoot van haar man. Daarna sluit ze haar ogen. Heleen gaat op zoek naar de dienstdoende arts-assistente. 'Ik kan er helaas niet bij blijven, want dan ben ik niet op tijd terug in Zeist voor an-dere zwangeren. Maar ik wil wel zeker weten dat alles goed is overgedragen.'

Nu eerst naar een stel dat onlangs een zwangerschap heeft afgebroken. Het kind had een zeldzame chromosomale afwij-king. Heleen luistert geduldig naar het verhaal van de ouders. Na dit bezoek gaan we naar een zwangere van een tweede kind: ze heeft gebroken vliezen, maar nog geen weeën. Als die er na 24 uur nog niet zijn, moet ze naar het ziekenhuis om in-geleid te worden. Op weg ernaartoe belt een ongeruste man. Zijn vriendin is zwanger van de eerste en heeft al flinke weeën. Hij vraagt of de verloskundige komt kijken. 'Ik ben er met een half uurtje,' zegt Heleen. Het ene na het andere telefoontje komt nu binnen. Heleen neemt ze allemaal vriendelijk op en weet nog precies wie, wat en waar. Ik ben inmiddels de tel kwijt.

Het is vier uur. Voor de laatste visite stappen we een woonkamer binnen vol jonge kerels. Ze hangen op de bank, pilsje in de hand, de ogen gericht op de tv: voetbal. In een zijkamertje ligt de kraamvrouw, in een hoog bed tussen nog onuitgepakte verhuisdozen. Pal ernaast slaapt in een ledikantje een jongetje met geballe vuistjes. Lina is een paar dagen geleden bevallen van haar eerste kind. Het gaat goed, maar ze is afgemat. En emotioneel. De tranen komen snel. Heleen vraagt hoe de bevalling is gegaan; haar collega heeft de bevalling begeleid. Lina begint te huilen. Ze wilde een ruggeprik en had dat al voor de bevalling aangegeven. 'Toen ik er tijdens de bevalling om vroeg, moest ik weer aanhoren wat de nadelen waren,' snikt ze. 'En dat had ik al twee keer gehoord.' Heleen zegt dat ze dat vervelend vindt. 'Wil je er volgende week nog met mijn collega over praten?' Lina knikt. Ze praten even verder over de bevalling. De ruggeprik bleek niet te werken zoals het hoorde. 'Ik voelde de pieken van de weeën minder, maar de pijn was niet weg,' zegt ze. 'Ja, niet bij iedereen slaat een ruggeprik aan', zegt Heleen. Op weg naar de volgende weeën begint Heleen zichtbaar moe te worden. We zwijgen. De vrouw die we met een enorme buik in de kamer treffen is zelf arts. 'Ik ben zo bang dat het voorweeën zijn,' zegt ze. Heleen schudt haar hoofd, past haar taalgebruik aan het niveau van de vrouw aan. 'Heb jij al in de spiegel gekeken? Jij bent hartstikke in partu.' Boven in de slaapkamer toucheert ze: vijf centimeter. 'Ontspan maar, ga lekker in het donker in bad liggen.'

Ik ben beneden gebleven en kijk rond. Op de tafel ligt het *Reformatorisch Dagblad*. Op de pianostandaard ligt een boek met 'opwekkingsliederen'. Weer beneden vraagt Heleen de echtgenoot om de kraamzorg te bellen. Dat moet ruim op tijd, want de twee willen graag een reformatorische kraamverzorgster en die moet van de Veluwe komen. Als de verloskundige en ik alleen zijn, vraag ik of dit kind thuis geboren gaat worden, want dat willen ze graag. 'Nou, het is een heel grote baby, dus dat vraag ik me af.'

Heleen heeft nog een visite. Ik ben er rond zes uur weer, zegt ze tegen de jongen. 'En voor de nacht draag ik de dienst over aan een waarneemster. Maar die zal ik eerst bij jullie langs sturen, dan kunnen jullie alvast kennismaken.'

Ik ga naar huis.

*De namen van de zwangeren en hun partners zijn gefingeerd.*

# 2.

# Bij de buren

*Hoe bevallen ze in het buitenland?*

In de rest van Europa gaat het anders. Daar menen gynaecologen, verloskundigen en politici dat een bevalling een risicovolle onderneming is: potentiële pathologie. Zwangere vrouwen bevallen er daarom onder verantwoordelijkheid van de gynaecoloog. De thuisbevalling wordt er gezien als een exotische gebeurtenis, begeleid door 'onverantwoordelijke' vroedvrouwen. In verschillende landen, zoals Hongarije, is het zelfs bij wet verboden om thuis te bevallen. In onze omringende buurlanden mag het wel, maar het wordt maar door een heel klein deel van de vrouwen gedaan. In Engeland zou het aantal thuisbevallingen iets groeien, maar ook daar bevalt niet meer dan drie procent thuis. Vooral bij onze zuiderbuur wordt een thuisbevalling beschouwd als onverantwoordelijk en onveilig. In België ga je standaard naar een gynaecoloog als je zwanger bent. Wie door een vroedvrouw begeleid wil worden is van het padje af en de verloskundige die het thuis aandurft is geschift.

Lieve Huybrechts is zo'n 'geschifte'. Ze woont en werkt in het Vlaamse stadje Geel, waar de witgeluikte huizen stoeploos tegen de weg staan. Huybrechts is een grote vrouw van een jaar of vijftig: lange rok, haar grijze lokken vastgebonden in een lage staart. Ze zet een 'tas' koffie neer. Ze heeft wel zin om te 'klappen' over de thuisbevalling. Huybrechts runt sinds tien jaar een verloskundigenpraktijk waar vrouwen terechtkunnen als ze thuis willen bevallen. Een unicum in België. Huybrechts werkte voorheen in een ziekenhuis, als vroedvrouw. Ze hield het twintig jaar vol. Totdat ze in 1998 werd 'buitengewipt'. De controverse was te groot. Huybrechts wilde vrouwen zo natuurlijk mogelijk laten bevallen, maar dat strookte niet met de opvattingen van de gynaecologen. Vooral niet in de jaren tachtig, toen de 'epidurale' en inductie (het inleiden van de bevalling met weeënopwekkende middelen) in België hun opmars deden. Huybrechts: 'Er waren wel gynaecologen die er net zo over dachten. Maar onder druk van een gezin, geld en gemakzucht, gingen ze toch over op epiduraal en het standaard breken van de vliezen om de bevalling op gang te krijgen. Soms weigerde ik opdrachten uit te voeren. Dan belde de dokter midden in de nacht met de vraag wie er binnen was gekomen. "Die en die mevrouw". "Nou, breek de vliezen dan maar, dan kunnen we beginnen". En dan zei ik: 'Dat doe ik niet, dat is niet nodig." En dan hoorde ik aan de andere kant van de lijn: "Wel godverdomme, breek die vliezen."'

Nu in haar eigen praktijk richt ze zich geheel op de natuurlijke bevalling. 'Niet dat ik per se tegen medisch ingrijpen ben. Als het maar gebruikt wordt waarvoor het nodig is, maar op dit moment wordt in België een epiduraal aan de mensen opgedrongen.' De hoofdmoot van vrouwen die bij haar komen zijn vrouwen die 'niet gedirigeerd willen worden in een ziekenhuis. Want eenmaal in een ziekenhuis hang je vast aan van alles en nog wat en dan gaan anderen jou vertellen hoe je moet bevallen.' Een andere groep heeft slechte ervaringen gehad in het ziekenhuis.

# Weerstand

Ze stuit op forse weerstand. In één ziekenhuis mogen Huybrechts en kompanen erbij blijven als de bevalling onverhoopt medisch is geworden, maar bij de rest van de ziekenhuizen in de buurt van Geel blijft de deur gesloten. 'We mogen onze mensen daar afzetten, maar niet mee naar binnen. Niet als vroedvrouw en ook niet als psycho-emotionele steun.'

Opmerkelijk genoeg is er evenals in Groot-Brittannië ook in Vlaanderen een beweging gaande naar meer thuisbevallingen, blijkt uit een in 2007 gepubliceerd onderzoek van sociologe Christien Gillier van de Katholieke Universiteit Leuven. Volgens die studie steeg het aantal thuisbevallingen in Vlaanderen met een derde van 545 (0,87 procent) in 1997 naar 799 (1,26) in 2005. Het is nog steeds een petieterig aantal – in 2005 bevielen 62.451 Vlaamse vrouwen in het ziekenhuis – maar toch.

De stijging was wel reden voor een fel dispuut. Het Vlaamse tv-programma *Volt* liet Huybrechts discussiëren over die groei met gynaecoloog Willem Ombelet, voormalig voorzitter was van de Vlaamse Vereniging voor Obstetrie en Gynaecologie en fel tegenstander van de thuisbevalling. Het ging daarbij vooral om de veiligheid. Ombelet schermt met de Belgische sterftecijfers van moeder en pasgeboren kind. Die zijn in België lager dan in Nederland en dat zou, zo meende hij, best eens kunnen liggen aan de thuisbevalling. Al eerder zei hij in een interview dat op de website van de Vlaamse Vereniging voor Obstetrie en Gynaecologie verscheen: 'Als we niet terug naar af willen, moeten we de trend naar thuisbevallingen tegenhouden. De meeste opleidingsinstituten denken dat we hier gaan naar een Nederlandse situatie van thuis bevallen, maar dat zal niet gebeuren. De mensen hier zijn er niet rijp voor, er zijn geen voorzieningen voor en de mensen die hier opgeleid zijn, kunnen dat niet aan. Ik denk trouwens dat geen enkele gynaecoloog die zichzelf respecteert wil dat zijn vrouw thuis bevalt. De risico's voor moeder en pasgeborene zijn te hoog.'

## Ten oosten

Bij de oosterburen is thuis bevallen eveneens een vreemd gegeven. Daar wordt gebaard in een ziekenhuis of in een van de honderd kraamklinieken, waar *Hebammen* (Duitse verloskundigen) de boel bestieren. De twee à drie procent die wel thuis wil bevallen wordt voor gek verklaard, zegt Monika Theile, moeder van drie kinderen en werkzaam als doula, bevallingscoach. Zij kreeg haar eerste en jongste kind thuis, omdat ze dat zelf 'de meest veilige plek' vond. 'Daar kan ik me gedragen zoals ik wil, waardoor minder snel kunstgrepen worden gedaan.'

Voor Duitse vrouwen die het thuis willen proberen, is het in Duitsland gangbaar om met twee begeleiders te bevallen: twee verloskundigen, een verloskundige en een vrouwenarts of een verloskundige en een doula. Het was nog een flinke zoektocht om mensen te vinden die Monika's baring thuis wilden begeleiden. Er is altijd wel een verloskundige te vinden die thuisbevallingen doet. Maar het probleem zit 'm, zo meent Theile, bij de gynaecologen. Die doen de controles en zijn verantwoordelijk voor het proces. En de meesten zijn erg tegen thuis bevallen. Uiteindelijk vond ze een gynaecoloog die haar controles wilde doen en die ook bij haar bevalling thuis wilde zijn. Vrouwenarts Dieter Molitor is verbonden aan het Geboortehuis in Aken, maar doet desgevraagd thuisbevallingen. Ook Molitor meent dat een thuisbevalling 'veiliger' is dan een bevalling in het ziekenhuis. 'In welk ziekenhuis heb je er constant een verloskundige voor jou alleen bij, plus bij de uitdrijving een arts?' Hij heeft naar eigen zeggen de geboortehulp in de Duitse ziekenhuizen zien verslechteren. Molitor: 'Een goed voorbeeld zijn stuitliggingen. Voorheen kon je gewoon vaginaal bevallen van een kind dat in stuitligging lag. Nu wordt een keizersnee overwogen, zelfs als de vrouw eerder drie of vier gewone geboortes heeft gehad. Zelfs in goede ziekenhuizen ligt het percentage keizersnedes op meer dan twintig. Dat is hoog.'

### Goed om te weten!

De Wereldgezondheidsorganisatie (WHO) beveelt aan het gemiddeld percentage keizersnedes tussen de 10 en 15 procent te houden. Volgens een in 2005 gepubliceerd rapport van de WHO was dat percentage sectio's in Italië 32 procent, Duitsland 22 procent, het Verenigd Koninkrijk 17 procent en België 16 procent. In Nederland was dat in hetzelfde jaar 14 procent. In 2006 – het meest recente cijfer – was dat 15,1 procent. Brazilië kent het hoogste percentage keizersnedes: gemiddeld 47,7 procent en in sommige klinieken zelfs 100 procent.

## Jaloezie

Nogal eens wordt door Nederlandse verloskundigen geroepen dat er in het buitenland met jaloezie naar ons verloskundig systeem wordt gekeken. Marianne Sanders is tweedelijns verloskundige in het Academisch Medisch Centrum (AMC) in Amsterdam. Ze begeleidt, zo vertelt ze, regelmatig Engelse en Duitse studenten verloskunde die hier een *Dutch Midwivery Tour* krijgen. In twee weken tijd horen ze de ins en outs van het Nederlands verloskundig systeem en mogen ze vier dagen meekijken in een eerstelijns verloskundigenpraktijk. 'Ze komen met name af op de thuisbevalling.' Ondanks het feit dat ze geen enkele promotie maakt, is het aantal belangstellenden gestegen. 'Er komen nu per jaar zo'n twintig studenten. Daarvoor was het echt mondjesmaat.' En er komen eveneens collega-verloskundigen, vooral uit Zweden. Ze vragen ook vaak naar pijnbestrijding. 'Hoe doen jullie dat dan thuis, vragen ze dan. En dan zeg ik: "geen". "Geen?" Dat vinden ze fantastisch.'

De vraag is of de zwangeren in die landen er ook zo over denken. Een kleine rondgang langs verschillende vrouwen in het buitenland geeft een ander beeld. Duitse vrouwen zien de thuisbevalling meestal helemaal niet zitten. Monika Theile werkt nu drie jaar als doula. Ze ging met vrouwen mee naar het *Geburtshaus* of het ziekenhuis, maar heeft nog geen enkele vrouw thuis begeleid. En ook van collega-doula's hoort Theile niet anders: de meeste Duitse vrouwen willen niet thuis. Een vragenrondje bij vriendinnen van mijn Duitse schoonzus in Saarbrücken levert de volgende reacties op: 'Middeleeuws, achterlijk en gevaarlijk. Waarom zou je bij zo'n belangrijk moment zulke onveilige capriolen uithalen?'

In België wil ook maar een heel klein deel een thuisbevalling. De overgrote rest vindt het wel best, zo met pijnbestrijding in het ziekenhuis. Ze denken als de Vlaamse Anja. Ze baarde drie kinderen, van wie de laatste ter wereld kwam in 2006. Van alle drie beviel ze in het ziekenhuis, bij dezelfde gynaecoloog. Met een ruggeprik. Ze heeft niet het idee dat het haar opgedrongen is. 'Hoewel de gynaecoloog het wel adviseerde. Hij zei: "Doe het nu maar wel, want dan gaat het je gemakkelijker af." Maar mijn schoonzus bijvoorbeeld wilde bevallen zonder pijnbestrijding en dat was ook geen probleem.' Anja heeft een Nederlandse man en komt hier vaak, maar over thuis bevallen is ze resoluut. 'Ik zou het nooit doen. Er kan altijd iets misgaan. En ben je dan wel op tijd in het ziekenhuis?'

## Bevallen in Noorwegen

De Nederlandse Edith beviel van haar eerste in 2005 in Nederland. Ze begon toen thuis, maar moest vanwege een niet vorderende ontsluiting halverwege naar het ziekenhuis. Nu woont ze in het noordwesten van Noorwegen, midden in de bergen, op 35 kilometer van een ziekenhuis. Ze beviel er in februari 2008 van de tweede. 'Als je heel graag wilt, kun je hier thuis bevallen, al is het niet gebruikelijk. Maar ik vond het geen probleem om naar het ziekenhuis te gaan. Een maand voor de uitgerekende datum werden we rondgeleid en werd er gevraagd naar onze wensen. Of je in bad wilde bevallen of op de baarkruk. En of je pijnstilling wilde: een ruggeprik of pethidine, acupunctuur of lachgas.

De verloskamers waren best luxe. Naast het verlosbed stond een twijfelaar waarop mijn man een dutje kon doen. Er stonden een stoel en een tafel en je kon ook wat eten.' Omdat de weeën ook deze keer niet goed doorzetten, werden ze opgewekt. 'Eerst met acupunctuur, maar toen dat niet hielp, kreeg ik een vaginale zetpil.' Ze kreeg daarop een 'best heftige' weeënstorm en er werd gevraagd of ze pijnstilling wilde. 'Ik heb

32

toen lachgas geprobeerd, maar daar kreeg ik het benauwd van. Aan het einde van de ontsluiting vroeg ik om een rugge-prik, maar toen was ik al zover dat het niet meer kon. Ik heb nog wel acupunctuur gehad om de scherpe kantjes ervan af te halen.' Alles werd gedaan door een verloskundige. 'De gy-naecoloog kwam af en toe kijken.' Al met al is Edith tevreden. Al vindt ze dat er wel een groot nadeel is aan het Noorse sys-teem: er is namelijk geen kraamzorg thuis. 'Er zijn kinderver-pleegkundigen die je de eerste 72 uur in het ziekenhuis bij-staan, maar er komt niemand bij je thuis.'

# 3.

## Oost west, thuis...

*Wie wil er thuis bevallen?*

Greetje beviel in 1993 van haar eerste. Ze wilde per se thuis bevallen. De redenen? 'Ik kan thuis het beste ontspannen. Ik houd van controle over mijn eigen bevalling. En ik vind dat je niet naar het ziekenhuis moet gaan als er geen medische noodzaak is. Daarbij vertrouwde ik erop dat ik het kon. Ik was ook niet bang voor de bevalling. En ik wilde niet uit mijn ritme gehaald worden door halverwege nog naar de polikliniek te gaan.' Greetje beviel inderdaad thuis. Aan pijnbestrijding dacht ze geen moment. 'Ik was ontzettend trots dat ik het op eigen kracht had gedaan. Zonder hulp van wat dan ook.'

Het gros van de Nederlandse vrouwen wil thuis bevallen, zo blijkt uit registratiecijfers van verloskundigen en ander onderzoek. De redenen zijn – vijftien jaar later – nog dezelfde als die van Greetje. Kim beviel in 2008 thuis van haar eerste. Thuis voelt ze zich het prettigst. 'Ik kan daar het best mezelf zijn. In een ziekenhuis liggen, met allemaal bliepjes, snoertjes en vreemde mensen leek mij helemaal niks.' Dat was ook de reden voor Carina. 'Ik wilde in onze eigen sfeer bevallen. Thuis kun je zelf bepalen hoe je bevalt. Ik heb het idee dat in het ziekenhuis toch sneller anderen dat bepalen.'

'Ik ben bevallen zoals de dieren in het wild het doen,' schrijft Eugenie over haar tweede bevalling op de website van ouders online. 'Wild, rauw, op mijn eigen unieke tempo, op mijn intuï-tie, in het volle besef dat de verantwoordelijkheid bij mij ligt.' Monica snapt überhaupt niet waarom je als je gezond bent in het ziekenhuis wilt bevallen. 'Zwanger zijn is geen ziekte. Het is iets natuurlijks. Dat hoort thuis. Bovendien heb ik gelezen dat als je kiest voor de polikliniek de kans groter is dat de verlos-kundige de gynaecoloog erbij roept en je een interventie krijgt. En dat wil ik niet.'

Anderen zien het helemaal niet zitten om nog halverwege de weeën in de auto naar het ziekenhuis te moeten. 'Thuis is leuk en gemakkelijk. Dan hoef je niet heen en weer,' meent Tynke. 'Het is ook leuk voor je kind als je later kunt aanwijzen waar hij of zij geboren is.' Dat laatste is voor sommige vrouwen een hoofdreden om thuis te willen bevallen. Voor de bevolking van Terschelling is het van belang dat hun kind er een 'van het eiland' is. Verlos-kundige Sanne Meerdink zit in Zierikzee, Schouwen-Duiveland. 'Het feit dat mensen een kindje op Schouwen-Duiveland krijgen is hier belangrijk. En als ze toch naar het ziekenhuis moeten, wil-len sommige mensen liever niet naar het ziekenhuis in Dirksland (Goeree-Overflakkee), omdat het kind dan geen echte Zeeuw is.' In veel gevallen baren vrouwen in eigen bed uit pure gewoonte. Dick Visser is huisarts op Urk. Bijna iedereen wil daar thuis be-vallen. 'Eén keer per jaar vraagt iemand om een poliklinische be-valling. Maar dat zijn bijna altijd vrouwen die niet op Urk gebo-ren zijn. Thuisbevallen is de cultuur hier,' zegt Visser. 'Je moeder deed het, je oma.' Om pijnbestrijding vragen Urkse vrouwen niet snel. 'Dat heeft met de christelijke achtergrond te maken. Maar het zit ook in de leefwijze: een Urker piept niet gauw. Je doet het gewoon.'

# Ander slag?

Zijn vrouwen die thuis willen bevallen van een ander slag dan vrouwen die in het ziekenhuis willen bevallen? Gynaecologe en onderzoekster Gunilla Kleiverda denkt van wel. Kleiverda promoveerde in 1991 op de motieven van de pro-thuisbevallers. Het ging om vrouwen die hun eerste kind kregen in de regio Amsterdam. 'Vrouwen die kiezen voor een thuisbevalling willen meer zelf de touwtjes in handen houden. Ze zijn wat minder angstig. Terwijl vrouwen die poliklinisch bevallen meer zoiets hebben van: er kan van alles misgaan, het overkomt me, ik heb er niet zoveel invloed op.'

Al moet ze toegeven dat dit wellicht niet helemaal opgaat voor *alle* Nederlandse vrouwen. 'In Amsterdam vielen de thuisbevallers vaker in een hogere sociaal-economische klasse. Het waren ook vaker minder traditionele vrouwen die bleven werken als de kinderen eraan kwamen. Kortom, vrouwen die gezonder leven, meer geld hebben en bewuster met alles omgaan. Dan is de kans misschien ook groter dat het thuis goed gaat en dat je ook thuis durft te bevallen.'

## Cijfers & Onderzoek

· · · · · · · · · · · · · · · · ·

### Vrouwen die thuis willen bevallen

- zijn meestal ouder dan 25
- hebben een Nederlandse afkomst
- hebben vaak een hogere sociaal-economische status dan vrouwen die een ziekenhuisbevalling willen
- zijn vaker zwanger van een tweede of volgend kind
- zijn sterker gekant tegen technologische interventies dan vrouwen die in het ziekenhuis willen bevallen.[3]

# Migranten

Meestal wordt aangenomen dat migrantenvrouwen in het ziekenhuis willen bevallen. En over het algemeen wil het gros dat
ook (zie hoofdstuk 6). Maar er zijn ook migrantenvrouwen die
hun kind wel in eigen bed ter wereld willen brengen. Dalila, met
Marokkaanse wortels en moslima: 'Bij de eerste wilde ik in het
ziekenhuis. Dan weet je nog niet zo goed hoe het gaat. Maar bij
de tweede ben ik thuisgebleven. Heerlijk vond ik dat. Lekker in
mijn eigen bed en het was fijn om daarna niet meer weg te hoeven.' Ze werd wel wat raar aangekeken door familie en moslim-
vriendinnen. Dalila: 'Dat doe je toch niet, vonden ze. Maar ik
denk dat ze vooral bang zijn omdat ze niet weten wat dat betekent: thuis bevallen met de verloskundige. Ze denken dat ze dan
evenveel risico's lopen als in Marokko.' Zijzelf vond het thuis wel
veilig en goed. 'Maar ja,' lacht ze. 'Ik ben misschien wat meer
"verkaasd".' Vooral westerse migranten zijn enthousiast over de
mogelijkheid om thuis te bevallen. De Servische Nada beviel van
haar eerste in haar eigen woning. 'Ik had het niet anders gewild
en vind het een goed iets. Zeker als je ziet hoe de bevallingska-
mers er in Belgrado uitzien en hoe de bevallingen daar door-
gaans gaan.'

### Goed om te weten!
#### Wanneer mag je niet thuis bevallen?
- Als je een medische indicatie hebt omdat je bijvoorbeeld
  suikerziekte of een te hoge bloeddruk hebt of vanwege
  een andere reden.
- Als je meer dan 42 weken over tijd bent (serotiniteit in
  jargon).

- Als je baby in stuit ligt.
- Als je al eerder een keizersnede (sectio caesarea) hebt gehad of een andere vorm van een litteken in de uterus.
- Als je bij een eerdere bevalling een fluxus hebt gehad; een hevige bloeding, waarbij je meer dan 1000 ml bloed hebt verloren.
- Als je zwanger bent van een meerling.
- Als je op meer dan 45 'autominuten' van een ziekenhuis woont met een ok, gynaecoloog en kinderarts.

## Geen keuze

Soms heb je geen keuze; dan is het niet mogelijk om thuis te bevallen. De afstand tot het dichtst bijzijnde ziekenhuis met een verloskundige afdeling en een ok is dan te groot. Als er iets gebeurt, ben je te laat in het ziekenhuis. Dat is bijvoorbeeld zo op verschillende delen van het Zeeuwse Schouwen-Duiveland of in Noord-Holland.

### Doen!

Vraag aan je verloskundige wat zij wel en niet doet met betrekking tot thuis bevallen. Wat zijn bijvoorbeeld de criteria als het gaat om behuizing? Kun je je niet vinden in het antwoord, vraag dan een second opinion aan bij een andere verloskundigenpraktijk.

Soms mag je niet thuis bevallen, omdat je een te hoog risico hebt op medische complicaties, bijvoorbeeld omdat je eerder een keizersnede hebt gehad. Hierover staan harde richtlijnen in de Verloskundige Indicatie Lijst. Maar er zijn ook minder duidelijke gebieden. Verloskundigen en gynaecologen hebben vier categorieën afgesproken: A, B, C en D. Val je in categorie A, dan mag je bevallen bij de verloskundige. Als je valt in categorie C moet je naar de gynaecoloog en in categorie D vallen vrouwen die wel met hun verloskundige, maar niet thuis mogen bevallen, omdat een eventueel vervoer van huis naar ziekenhuis risicovol is. Categorie B is een grijs gebied. Als je daarin valt wordt er – in onderling – overleg beslist of je wel of niet bij de verloskundige en dus thuis mag bevallen. Zo'n twijfelgeval is bijvoorbeeld obesitas (overgewicht). Sommige verloskundigen menen dat je bij een BMI (Body Mass Index) rond de 30 nog wel thuis kunt bevallen, terwijl andere je dan doorsturen naar het ziekenhuis.

In twijfelgevallen ligt het er vaak ook maar net aan waar je woont en wat je verloskundige meent dat veilig is. Zo wordt er nogal eens verschillend omgegaan met de criteria voor behuizing. In verschillende steden zoals Amsterdam of Utrecht gaan ambulancebroeders niet een – smalle – trap op en af. Dat kan een reden zijn voor je verloskundige om je te vragen zo 'begane grond' mogelijk te bevallen of zelfs niet thuis te bevallen. Andere verloskundigen nemen meer risico.

### Doen!

Maak een geboorteplan, een draaiboek met wensen en verwachtingen rondom de bevalling. Daarop kun je kwijt hoe je het liefste zou willen bevallen, met wie en waar. Verloskundigen werken nog niet standaard met een geboorteplan. Meer info over het geboorteplan vind je op www.geboorteplan.nl.

## Voor en na: Evelien en Daan

### Voor:

*Evelien*: 'Toen ik beviel van mijn eerste, woonde ik in een studentenhuis met vijf anderen. Ik zag onwijs tegen de bevalling op. Ik was bang. Voor de pijn, voor wat mis kon gaan. Ik hield tot het allerlaatste moment open waar ik zou bevallen. Al die studenten, dat is niet ideaal. Aan de andere kant: een vriendin beviel in het ziekenhuis. Ze zat vast aan slangen en er stonden tien mensen bij haar bed. Dat wilde ik ook niet. Maar die eerste keer was een modelbevalling, nog geen zes uur, geen scheurtje, niks. Het ziekenhuis kon helemaal niet, zo snel ging het. Maar het was goed zo, thuis. Ik ben nu acht maanden zwanger van de tweede. En ik ben toch weer bang. Iedere bevalling is er weer een op zich.'

### Na:

*Evelien*: 'Het ging twee keer zo snel. Het ziekenhuis was absoluut onmogelijk geweest. Maar het was wederom goed zo.'

*Daan*: 'Ik moest de huisartsendienst bellen. Die zouden de verloskundige oppiepen en zij zou mij weer bellen. Maar het nieuwe computersysteem werkte niet goed. Toen de verloskundige na vijftien minuten nog niet had teruggebeld, heb ik de dienstdoende huisarts gevraagd haar uit bed te bellen. Als een gek is ze toen hier naartoe gereden, door rode stoplichten. Toen ze binnenkwam begonnen de persweeën al. Achteraf dacht ik: Als ik er niet bovenop had gezeten, hadden we het zelf moeten doen. Ik was heel blij dat ze er was. Ook omdat ze precies wist wat ze moest zeggen, hoe ze ons kon aanmoedigen. Petje af.'

# 4.

## Wat wil vader?

*Hoe partners denken over thuis of ziekenhuis*

Baren was tot in de jaren zestig vrouwenbusiness. De man klopte op de deur van de verloskundige als zijn vrouw zover was en tijdens de actie zat hij buiten met een kop koffie of een biertje en een sigaretje te wachten op het eerste geschrei van zijn kind. Nog steeds is het in heel veel culturen normaal dat een man niet bij de bevalling is. In veel Oost-Europese landen heft de aankomende vader het glas schnaps met de buurmannen, terwijl zijn vrouw in het ziekenhuis ligt te persen. Pas als het kind in een smetteloos wit pakje baby ligt te wezen, mag hij komen kijken.

In het Nederland van de 21ᵉ eeuw maakt slechts 3 procent van de vaders de geboorte 'gedeeltelijk' mee en is slechts 1 procent helemaal afwezig, zo blijkt uit het onderzoek 'Vaders Vandaag' van IkVader.nl uit begin 2007. Aan het onderzoek namen 534 vaders deel met kinderen in de leeftijd van 0 tot en met 8 jaar.

Het merendeel – 96 procent – is er dus wel bij. En dat is een hele prestatie. Want het is niet niks om machteloos te moeten toezien hoe je vrouw zich in de meest vreemde bochten wringt om de pijn te kunnen verdragen. Bovendien ziet de man wat zijn bevallende vrouw meestal niet ziet: haar onderkant. En dat zicht is niet fraai. Schrijfster Daphne Deckers vergeleek de vrouwelijke genitaliën na een bevalling met een 'ontplofte egel'. IkVadereigenaar Henk Hanssen werd door zijn tante gewaarschuwd. 'Als je ziet hoe het eruit komt, wil je er nooit meer in.'

Maar, zo beseffen veel partners gelukkig: op dat moment gaat het niet om jou, maar om je vrouw en kind. Dus 'vermannen' ze zich tijdens de baring. Ze gaan achter hun vrouw zitten, duwen in haar rug, fluisteren haar in het oor en ruimen poep en pies zonder te mokken op. Omdat het er bij hoort, omdat een geboorte uniek is. 'Het is een intense en persoonlijke ervaring,' zegt vader Bram op het IkVaderforum. 'In een kort moment is daar ineens "jouw kind". Voor altijd. Mooi... Dat is het.'

## Beslist vader?

Het is bijna een standaard antwoord als je aan moderne vaders vraagt waar ze vinden dat hun kind geboren moet worden. 'Dat bepaalt zij,' waarna een knik richting zwangere volgt. Toch gaat het in de praktijk nog weleens anders. Hester moest wegens een complicatie bij haar eerste in het ziekenhuis bevallen. Ze vond het tegen haar verwachting in 'eigenlijk heel erg prettig in het ziekenhuis.' Ze overwoog het ziekenhuis toen ze zwanger was van de tweede. Maar haar vriend Thomas drong aan op thuis. Thomas: 'Ik heb het niet zo op ziekenhuizen. Het gebeurde 300 jaar geleden ook thuis, dus waarom zou je dan nu ineens in het ziekenhuis moeten bevallen. Bovendien dacht ik, bij de eerste lukte het niet, dan lukt het bij de tweede vast wel.' Ze gingen voor thuis.

Bart zag thuis juist niet zitten. 'Mijn vrouw wilde eigenlijk thuis, maar op mijn verzoek ging ze bij onze eerste naar het ziekenhuis.' En ook Josée Busnel herkent het: 'Er is een groep vrouwen waarbij de man nauwelijks invloed heeft. Maar je hebt ook zeker een groep waarvan de partners vinden dat ze in het ziekenhuis moeten bevallen. En dat doen ze dan ook.'

# Pro-thuis

Er is nog nauwelijks onderzoek gedaan naar de keuze van vaders voor de plek van baring. Een rondvraag levert verschillende antwoorden op. De partners die thuis prefereren, doen dat bijvoorbeeld omdat ze dat zo gewend zijn. Boris is de oudste in een gezin van vier kinderen. Toen hij tien was, beviel zijn moeder van zijn broertje. Thuis. 'Wij mochten bij de bevalling zijn en ik heb daar een heel goed gevoel aan overgehouden. Voor mij is bevallen niets engs of medisch. Doe mij maar thuis, als het kan.' Thomas wilde thuis vanwege de privacy. 'Ik wil gewoon mijn emoties kunnen laten gaan op het moment dat ik mijn kind voor het eerst zie. Ik wil niet dat er allemaal mensen omheen staan die mee genieten. Maar misschien vind ik het nog wel het belangrijkste voor de baby zelf. Al die felle lichten en die indrukken. Voor een baby is het ziekenhuis totaal geen rustige, relaxte omgeving.' Sommige mannen willen thuis, omdat ze menen dat ze niets te zoeken hebben in het ziekenhuis. Daan: 'Je maakt het zo medisch. Als je niet ziek bent, hoef je daar toch niet te zijn?' En natuurlijk is er een groep die twijfelt. Daan had bij beide bevallingen een voorkeur voor thuis. 'Maar als ik in boeken las over de pijn waarmee een bevalling gepaard gaat, dacht ik: jee, ik kan me wel voorstellen dat je als zwangere naar het ziekenhuis wilt, omdat je daar pijnbestrijding kunt krijgen.'

## Voor en na: Michiel

### Voor:

'Thuis lijkt me gezellig. In je eigen holletje. Vrienden en familie die beneden een kopje koffie drinken. Maar het is baas in eigen buik, dus Saar beslist. Als het haar te veel pijn doet en ze wil naar het ziekenhuis, dan doen we dat. Alhoewel pijn natuurlijk wel bij een bevalling hoort. Ach, het is mijn eerste keer. Hoe kan ik nu een mening vormen?'

**Na:**

'Saar gaf aan dat ze pijnbestrijding wilde. Toen zijn we naar het ziekenhuis gegaan. Ik kon maar weinig invloed uitoefenen op het gebeuren. Maar ik had wel een rol. Lieve dingen zeggen, haar aanraken. Ik heb veel gereisd, ben twintig jaar schipper geweest, maar dit was toch de heftigste ervaring van mijn leven. Zo intens, eerst je liefje die zoveel pijn heeft maar dan daarna dat intense geluk als die kleine op de buik ligt. En bij een volgende is het weer Saar die beslist waar ze wil bevallen.'

## Safety first

Toch bevestigt wat gesnuffel in literatuur en een rondje langs verloskundigen het vermoeden. Het gros van de mannen wil naar het ziekenhuis, zeker bij een eerste kind. Josée Busnel ziet op haar cursus dat de meeste mannen naar de polikliniek willen. Ook hier zijn verschillende redenen voor. Bernard: 'Uit onderzoek blijkt dat de meeste bevallingen die thuis gepland waren alsnog wegens complicaties in het ziekenhuis eindigen. Midden in de bevalling getransporteerd worden is zeer onprettig voor de bevallende, maar zeker ook voor haar partner. Het geeft een hoop stress. Dan moet je midden in de bevalling, met je vriendin in heftige weeën, nog beslissingen nemen. Welk ziekenhuis, waar is de auto, snel, snel want gaat het wel goed. Dan kun je beter in het ziekenhuis beginnen.' Soms wil de partner, na tig uren het leed van hun vrouw te hebben aangezien, pijnstilling voor haar. 'Schat, wil je echt per se thuis bevallen,' vraagt Kluun in zijn boek *Help, ik heb mijn vrouw zwanger gemaakt* aan zijn vrouw als die 'kotst van de pijn'. 'We kunnen nog steeds naar het ziekenhuis.' Henk Hanssen vraagt zich af waar die pijn überhaupt voor nodig is: 'Je laat een verstandskies toch ook niet thuis trekken, zonder pijnbestrijding?' En van binding met je kind door pijn wil hij niets weten. Hanssen: 'Bespottelijk. Ik heb nog nooit gehoord dat pijn enig nut heeft. En dan zou het dat tijdens de bevalling wel hebben?'

Natuurlijk zijn aankomende vaders onzeker. In de uren dat hun vrouw de weeën opvangt en de verloskundige nog niet ter plekke is, zit je daar als leek. Josée Busnel: 'Mannen hebben het idee dat als ze het niet trekken er in het ziekenhuis meer mensen zijn om op terug te vallen.' Soms zijn partners als de dood dat de verloskundige te laat komt en dat zij zelf de klus moeten klaren. 'Zij zijn het vaak die op oudercursussen vragen wat ze moeten doen als het kind er eerder is dan de verloskundige,' menen de auteurs van het boek *Bevallen en Opstaan*. Ze voegen er meteen een paragraaf met tips aan toe. Niet slecht om die ter harte te nemen overigens. Want ook in de 21$^e$ eeuw gebeurt het dat je er als partner alleen voor staat.

Maar de voornaamste reden om naar het ziekenhuis te willen gaan is veiligheid. 'Mannen denken vaak dat het in het ziekenhuis veiliger is,' zegt Busnel. En dat blijkt ook uit rondvragen. 'Ik wilde geen risico nemen bij de eerste,' vertelt Bart. 'Die bevalling ging prima, dus de tweede mocht ze wel thuis doen.' Bernard: 'Mocht er wat misgaan, dan is er in het ziekenhuis hoog gekwalificeerd personeel in de buurt.' Michiel: 'Ik ga mee in wat Sarah wil, maar het is wel safety first. Als blijkt dat het thuis niet veilig is, om wat voor reden dan ook, gaan we richting ziekenhuis.'

• • • • • • • • • • • • • • • • • • • • • • • • • • • • • • • • • • • • • • • • • • • •

Tien tot vijftien procent van de partners is erg bang voor
de bevalling.[4]

## Steun en toeverlaat

Hoe verschillend over andere onderwerpen, de auteurs van va-
derboeken zijn het over één ding eens. De partner moet knopen
doorhakken wanneer zijn vrouw er niet meer toe in staat is. 'Jij
als man bent veel meer dan het spreekwoordelijke natte washandje,' moedigt Henk Hanssen in *De 9maandengids voor mannen* de hedendaagse man aan. 'Ook al is de route voor jullie allebei onbekend, jij loodst je vrouw door de bevalling heen.'
'Al staat u er als Koning Pannekoek bij, al kunt u niet tegen
bloed, al bent u bang dat u een vaginaal trauma oploopt,' zo
schrijft Kluun. 'U moet erbij zijn. De verloskundige ligt net in
haar nestje? Me hoela. Uw vrouw is heilig,' bast hij. 'Dus niet afwachten tot het een of andere witte jas belieft om te komen en
geen "ik kom zo" of "mijn collega komt zo bij u" accepteren terwijl Onze-Lieve-Vrouw ligt te creperen. Vecht, scheld, blaf, dreig,
smeek, verordonneer, commandeer, als het maar werkt.'
Het zijn geen sciencefictionverhalen. Het komt regelmatig voor
dat partners het voor hun vriendin moeten opnemen. Bas bijvoorbeeld moest in het ziekenhuis de dienstdoende verpleegkundige weghouden bij zijn in heftige weeën verkerende vrouw. 'Ze
kwam af en toe binnen en dan moest er weer wat verteld of gevraagd worden. Ze hield geen enkele rekening met Carina's
weeënritme. Dan moest ik er als het ware voor gaan staan, zo
van: nee, nu even niet, laat haar eerst die wee weg puffen.' Het is
de reden waarom Daan en Evelien voor de bevalling een lijst

maakten met wat Evelien wel en niet zou willen. Evelien: 'Zodat, als ik naar het ziekenhuis wilde voor pijnbestrijding, dat ook zou gebeuren. Ik blijf de spreker, Daan is de tolk op dat moment.' Toch nemen mannen die rol te weinig op zich, meent Josée Busnel. 'Ze denken heel lang dat hun vrouw zelf wel aangeeft wat ze voelt en wil. Maar als vrouwen in de weeën zitten, weten ze vaak echt niet meer of het goed gaat. Ik zeg altijd tegen de mannen: op zo'n moment gaat het om jou. Stel dat zij al heel lang bezig is, maar het schiet niet op. Eigenlijk kan ze het niet meer aan. De verloskundige komt langs en je vrouw krijgt te horen dat ze een kwart centimeter verder is. Als de verloskundige vraagt hoe het gaat, zeggen veel vrouwen: het gaat wel. Maar dan is ze weg en begint je vrouw te huilen. Jij ziet hoe het echt gaat. Jij bent dus degene die tegen de vroedvrouw moet zeggen: nee, het gaat helemaal niet. We willen pijnbestrijding.'

• • • • • • • • • • • • • • • • • • • • • • • • • • • •

### Als de verloskundige te laat komt

Soms wil de baby zo snel naar buiten, dat moeder en vader het zelf moeten opvangen. Dit was ook het geval bij het derde kind van Herbert-Jan en Emilin. Herbert-Jan: 'Ik stond voor de klas toen Emilin belde. Thuisgekomen zat ze in bad, stilletjes pijn te hebben. Ik wist nog van de vorige keren dat het lang kan duren dus ik dacht: ik ga even een broodje smeren. En toen hoorde ik een piepje uit de badkamer – "het komt". Ik hielp haar om uit bad te komen. Ze zat met haar ene knie op het bed en toen zag ik het hoofdje al komen. Gelukkig hebben we een telefoon met een speakerfunctie.'
Emilin: 'Ik had al eerder de verloskundige gebeld. Ik zat

tussen twee weeën en sprak nog helder. Ik zei: "Het gaat snel, hoor". Ze antwoordde: "Ja maar jij kunt nog veel te goed praten. Ik ga nog even op kraambezoek."' Bij het tweede telefoontje moest de verloskundige door haar mobiele telefoon de aankomende vader coachen.

Herbert-Jan: 'Ik moest het hoofdje zachtjes vastpakken en naar beneden begeleiden. En voor ik het wist was Nino er.' Waren ze niet bang dat het mis zou gaan? Herbert-Jan: 'Terwijl ik bezig was schoten allerlei verhalen door mijn hoofd. Wat ik moest doen als het niet goed zou gaan: reanimeren, kijken of er geen slijm in het keeltje zat. Maar ik was heel rustig. En na de geboorte was ik eigenlijk alleen maar heel blij. Toen de verloskundige uiteindelijk aankwam en op de deur bonkte kon ik alleen maar oerkreten slaken.'

## 'Vaderloze' bevalling

In 1965 verscheen er in de VS een voor dat land revolutionair boek met de titel *Husband coached childbirth*. De schrijver ervan – zelf gynaecoloog – pleitte voor een bevalling waarin de man actief meehielp. '*It takes two to tango*,' schrijft hij. Een bevalling die de vader en moeder samen doen is goed voor hun relatie, voor het gevoel van saamhorigheid, voor de band tussen vader, moeder én kind. Het is ook in Nederland een vaak gebruikt argument: je maakt een kind samen, dan breng je het ook samen ter wereld. Of zoals vader Boris het zegt: 'Zwangerschap is een avontuur waar je met zijn tweeën aan begonnen bent. Dat beëindig je ook met z'n tweeën.' En zo denkt ook het gros van de Nederlandse vrouwen. Ze voelen zich gesteund door hun partner.

Omdat die het dichtst bij ze staat. Sarah had haar moeder en zus tijdens de bevalling bij zich aan bed, maar: 'Chiel is wel het dichtst bij mij in de buurt gebleven, dicht bij mijn hoofd, hield me vast en zei lieve dingen, dat was essentieel.'

Soms heeft de vader niets te willen. Vooral bij de eerste generatie niet-westerse migranten wordt de aankomende vader tijdens de ontsluiting naar de woonkamer verordonneerd. Hij mag bij de geboorte kijken, maar meer ook niet. 'Mijn man liep alleen maar zenuwachtig rond. Daar had ik niets aan,' zegt de Turkse Aisha. Gynaecoloog Kees Yedema werkt bij Medisch Centrum Haaglanden. Een groot deel van de populatie bestaat uit Turkse, Marokkaanse, Surinaamse en Antilliaanse vrouwen. 'Ik zie zelden een man meekomen bij de bevalling. Die blijft meestal in de wachtkamer. En bij de laatste twee groepen is de partner vaak al weer uit beeld tegen de tijd dat de bevalling zich aandient. Wel zie je zussen of moeders of vriendinnen.'

Ook sommige Nederlandse vrouwen zien hun man liever gaan dan komen. In juni 2007 pleit columniste Liesbeth Wytzes op haar weblog in *Elsevier* voor een manloze bevalling. Je hebt er helemaal niks aan, meent Wytzes. 'Ze vragen aandacht, lopen je voor de voeten, staan maar te klooien met een stupide washandje – alsof dát helpt – en je hebt er op dat moment alleen maar last van.' Ze pleit ervoor om de oude gewoonte van cafébezoek weer in ere te herstellen. 'Dat lijkt me voor iedereen beter,' aldus Wytzes.

Ze krijgt steun uit onverwachte hoek. Anja de Grient Dreux, zelf verloskundige en moeder van drie kinderen die alle drie thuis zijn geboren, was erg blij met haar zus bij het kraambed. De Grient Dreux: 'Aan mijn man had ik niet zo veel tijdens mijn bevalling. Mijn zus was onverwacht waardevol voor me. Thuis bevallen is wat dat betreft ideaal. Nu konden we alle twee – ik en mijn man – onze eigen gang gaan.' De vraag is of het erg is, dat je partner aan de zijlijn toekijkt. De Grient Dreux: 'Vroeger, toen ik een jaar of 21 was en begon als verloskundige dacht ik: je man moet er toch bij zijn. Je moeder, wie haalt die er nu bij. Maar na een tijd wierp ik dat dogma van me af. Ik dacht: waarom niet? En toen wilde ik het bij mijn eigen bevallingen ook.'

· · · · · · · · · · · · · · · · · · · · · · · · · · · · · · · · · · ·

### Als je 'vader' wordt terwijl je al moeder bent

Sommige lesbische stellen hebben al een kind als de ander zwanger raakt. De partner heeft dan dus zelf ervaring met bevallen en jij nog niet. 'Dat is grappig en moeilijk tegelijk', zegt Josée Busnel, die ook lesbische paren onder haar cursisten heeft. 'Zeker voor degene die zwanger is van het tweede kind. Die kan haar ei niet kwijt, want die ander zegt dan: "Zeur niet zo, dat heb ik ook allemaal gehad."'
Zie ook: Claudia de Breij. *Krijg nou tieten en andere zwangerschapsverschijnselen.* Nieuw Amsterdam. 2009.

### Goed om te weten!
**Nederlandse boeken voor aankomende vaders –
met bevallingstips:**

- *Vaderschap voor beginners*, John Verhoeven en Josée Busnel, M.O.M., Houten 2006.
- *Een beetje Zwanger – Handboek voor vaders*, Arend van Dam, Uitgeverij Contact, Amsterdam/Antwerpen 2001.
- *De 9maandengids voor mannen*, Henk Hanssen, Van Gennep, Amsterdam 2005.
- *Help, ik heb mijn vrouw zwanger gemaakt*, Kluun, Podium, Amsterdam 2004.

**Websites voor (aankomende) vaders:**

- www.ikvader.nl
- www.babyinfo.nl heeft een aantal sites speciaal gericht op 'zwangere' vaders
- www.kluun.nl

# 5.

# In de ambulance

*Steeds meer zwangeren komen terecht in het ziekenhuis*

Ze willen het verhaal wel vertellen. Maar liever niet onder hun eigen naam. Hester zit op de bank. Thomas heeft zich achter zijn pc verscholen. Hun twee zoons Tycho van vier en Bas van zeven maanden liggen boven te slapen. 'Bij de eerste wilde ik niet expliciet thuis,' begint Hester. 'We zien wel, dacht ik. De verloskundigen – vijf hadden ze er daar – hadden wel verteld dat er een kans was, zeker bij een eerste, dat het niet goed zou gaan. En gevraagd naar welk ziekenhuis ik dan wilde.' Ze denkt even na, glimlacht. 'Maar ik had geen tasje klaar staan. En onze auto zat nog bomvol met surfplanken; daar kon ik helemaal niet bij. We gingen er blijkbaar toch van uit dat ik thuis zou gaan bevallen.' Dat gebeurde niet. Hester moest tijdens het persen naar het ziekenhuis. Eenmaal in het ziekenhuis kwam alles weer op gang. Tycho bleek met zijn rechterarm langs zijn hoofd te liggen, maar hij kon gewoon vaginaal geboren worden.

Toch probeerden ze de tweede ook weer thuis. De bevalling van Bas verliep probleemloos. In drieënhalf uur was het gepiept. Hester: 'Na een half uurtje kwamen mijn ouders met Tycho. Cadeautjes brengen. Die heb ik nog op bed uitgepakt.' De verloskundige ging al vrij snel weg. 'Ze had ergens anders nog twee bevallingen lopen.' De kraamverzorgster was tijdens het persen gekomen. Hester: 'Ze zei: ga maar even douchen beneden. Dus ik de trap af.

En toen verloor ik ineens onder de douche heel veel bloed.' Eenmaal weer boven kreeg Hester naweeën. 'En ik bleef maar vloeien.' De matjes op het bed werden verschoond, handdoeken uit de kast gehaald. 'Maar ik ging me steeds minder goed voelen.' De kraamverzorgster belde de verloskundige. 'Ze heeft nog een paar hechtingen gezet, maar dat hielp niet.' Terwijl de verloskundige wegging om extra verband te halen, werd Hester duizelig. 'De kraamverzorgster vertrouwde het niet en piepte de verloskundige op. Want die blijft eindverantwoordelijk in de eerste uren en dagen na de geboorte.' Na overleg werd 112 gebeld. Hester: 'Ik was al half aan het wegvallen.'

Het was rond middernacht. De ambulance kwam, maar de brancard bleef bij de voordeur staan. 'De trap was te smal en te steil voor een brancard.' De ambulancebroeders moesten haar de trap af tillen. Vanaf dat moment is Hester de tijd kwijt. 'Maar ik kan me nog wel herinneren dat ik dacht: ga ik dit wel overleven?' Met gillende sirene stoven ze naar het ziekenhuis. Thomas er in de auto met Bas achteraan, vanwege de borstvoeding. Hester: 'Gelukkig lag Tycho te slapen. Maar mijn ouders waren hier nog wel. Zij bleven achter met een bed vol bloed. Alles zat onder: de badlakens, de trap. Mijn moeder vertelde me later dat ze dacht dat ik het niet zou halen.'

In het ziekenhuis werd Hester naar de ok gereden en onder narcose gebracht. Ze bleek inwendig een wond te hebben. 'Een paar hechtingen en het was over. Eigenlijk heel simpel.' Hester had in totaal drieënhalve liter bloed verloren, meer dan de helft van wat ze had. 'Ik kreeg de hele nacht bloedtransfusies.' De verloskundige in kwestie heeft ze nooit meer gesproken. De nacontroles werden gedaan door een van de andere vroedvrouwen uit de praktijk. Ze verwijt niemand wat. 'Dat heeft ook niet zoveel zin.' Maar ze denkt wel anders over een thuisbevalling. 'Als ik in het ziekenhuis was bevallen, denk ik toch dat ze eerder hadden ingegrepen.'

## Meer naar de tweede lijn

De kans dat een zwangere nog tijdens de bevalling naar de gynaecoloog moet vanwege complicaties is in de afgelopen decennia explosief gestegen. In 1969 werd 13 procent van de vrouwen die in de eerste lijn begonnen nog tijdens de baring naar de tweede lijn gestuurd, in 1983 was dat 23,5. En in 2003 was dat cijfer al opgelopen naar 32,9. Vooral vrouwen die voor de eerste keer bevallen lopen risico. De kans dat je bij een eerste thuis begint en bij de gynaecoloog eindigt is meer dan vijftig procent. In een enkel geval zijn moeder of kind in levensgevaar. De meest voorkomende oorzaken daarvoor zijn een fluxus zoals Hester die had en foetale stress, ofwel een kind in acute nood.

● ● ● ● ● ● ● ● ● ● ● ● ● ● ● ● ● ● ● ● ● ● ● ● ● ● ● ● ● ● ● ● ●

**Meest voorkomende redenen voor verwijzing naar de gynaecoloog (2007)**[5]
**Bij eerste kind (nulliparae)**
*Niet urgent:*
1. Niet vorderende uitdrijving
2. Niet vorderende ontsluiting
3. Meconiumhoudend vruchtwater
*Urgent:*
4. Foetale stress
5. Bloedverlies tijdens baring of erna

**Bij tweede en volgende kinderen (multiparae):**
*Niet urgent:*
1. Meconiumhoudend vruchtwater
2. PROM (Premature Rupture of the Mebranes: het breken van de vliezen voor week 37)
3. Niet vorderende uitdrijving
*Urgent:*
4. Foetale stress
5. Bloedverlies tijdens baring of daarna

Meestal gaat het om niet-urgente verwijzingen: groen vruchtwater, een niet vorderende ontsluiting of een niet vorderende uitdrijving. Daarnaast is er een stijgende lijn te zien van vrouwen die wegens de behoefte aan pijnstilling halverwege de baring naar het ziekenhuis moeten. Omdat medicamenteuze pijnstilling – zoals een ruggeprik – niet zonder risico is beval je onder verantwoordelijkheid van de gynaecoloog (zie hoofdstuk 8). Een verwijzing naar het ziekenhuis betekent overigens nog niet dat er daadwerkelijk problemen zijn. Vaak worden vrouwen van huis doorverwezen omdat ze een *verhoogd* risico hebben op een complicatie, niet omdat die complicatie er al is.

Met het aantal verwijzingen is ook het aantal inleidingen, kunstverlossingen en sectio's toegenomen. En dat baart zorgen, want de risico's op schade voor moeder en kind zijn daardoor groter. Zo is de kans dat je bekkenbodemspieren beschadigd raken twee- tot zesmaal groter dan bij een gewone vaginale bevalling. Met als gevolg – blijvende – incontinentie. Ook voor het kind kan een vacuüm- of tangverlossing gevolgen hebben. Het kan er een bloeding onder de huid van de schedel van krijgen. Ook een keizersnede moet je niet onderschatten. Dat is toch een fikse buikoperatie, waarbij een wondinfectie of overmatig bloedverlies kan optreden. Tijdens de operatie kan je blaas beschadigd raken. Bovendien is er een heel kleine maar toch zevenmaal grotere kans dan bij een vaginale bevalling dat je aan een keizersnede overlijdt (zie ook hoofdstuk 9).

### Cijfers & Onderzoek

**Meer kunstverlossingen en keizersnedes (sectio's)**

**Keizersnedes**

| | |
|---|---|
| 1980 | 5 procent |
| 2006 | 15,1 procent |

**Vacuümextractie en tangverlossing**

| | |
|---|---|
| 1980 | 7,5 procent |
| 2006 | 9,7 procent |

Het percentage vaginale kunstverlossingen bij eerstbarenden met een eenling is zesmaal hoger dan bij een 'multiparae' (17,9 versus 3,3 procent).[6]

## 'Defensieve verloskunde'

Er worden verschillende redenen genoemd voor het gestegen aantal verwijzingen. Wetenschapsjournaliste en verloskundige Mariël Croon wijst naar eind jaren negentig toen er een nijpend tekort was aan verloskundigen en er uit nood fors werd ingestuurd. 'Bij mijn weten is daar nooit een kentering in gekomen.' Daarnaast speelt leeftijd een rol: naarmate je ouder wordt, is de kans op complicaties en dus op overdracht groter. Er zijn nu meer oudere zwangeren dan decennia geleden. Verder zijn er in de loop der jaren meer indicaties bijgekomen. Zo is meconiumhoudend vruchtwater pas vanaf 1987 een reden om door te verwijzen. Voor die tijd mocht je met groen vruchtwater thuisblijven.

Maar ook het beleid van de vroedvrouw is veranderd. Die doet vaker aan 'defensieve verloskunde': snel doorverwijzen om maar geen problemen te krijgen. Verloskundige Beatrijs Smulders: 'Verloskundigen verwijzen veel te veel door. Ze zijn supervoorzichtig geworden.' Maar beter te voorzichtig dan een risico lopen, meent verloskundige Sanne Meerdink van Verloskundigenpraktijk Lena op Schouwen-Duiveland. 'Het duurt minstens twintig minuten voordat je van hier uit in het ziekenhuis bent. Ik ga dus niet zitten tuttebellen, maar stuur in zodra ik denk dat iets niet goed is. En ja, soms blijkt het onnodig te zijn en had het misschien toch thuis had gekund.'

## Verschil per verloskundige

Het aantal vrouwen dat van thuis naar de gynaecoloog wordt gestuurd verschilt per verloskundigenpraktijk, zo blijkt onder andere uit onderzoek van Trees Wiegers van het NIVEL (Het Nederlands Instituut voor Onderzoek van de Gezondheidszorg). Als een praktijk meer zwangeren van een eerste kind, 35-plussers of allochtonen heeft, is het percentage verwijzingen hoger. Maar er zijn ook subjectieve factoren. Het verschil zit hem vooral in het vertrouwen in de thuissituatie en dat varieert per verloskundige. Er zijn verloskundigen die het liefst thuis beginnen en alleen als het echt nodig is naar het ziekenhuis gaan. Maar er zijn er ook die rapper naar de tweede lijn verwijzen, omdat ze sneller risico's zien. De risico-inschatting van verloskundigen is gebaseerd op richtlijnen, maar persoonlijke ervaringen spelen ook mee, weet onderzoekster Wiegers. 'Iemand die vroeg in haar carrière of in de opleiding een heel ernstige complicatie heeft meegemaakt zal misschien voorzichtigere beslissingen nemen dan iemand die een dergelijke ervaring niet heeft.' Het onderzoek stamt uit 1997 en is sindsdien niet herhaald. 'Maar,' zo meent Wiegers, 'ik denk dat de conclusie voor een groot deel nog geldt.'

## Ongeduldige moeders

Eveneens is de houding van de zwangere veranderd. Vroedvrouwen menen dat zwangeren van nu veeleisender zijn geworden; ze zijn ongeduldiger en piepen meer. Volgens verloskundige Herma Ebbers vragen vrouwen soms te veel van zichzelf. 'Ze werken veertig uur en hebben vaak nog andere kinderen. Ze luisteren minder naar signalen van hun lichaam en nemen weinig rust, want ja: alles moet draaiende blijven.' Kraamverzorgende Inge Schotman zit al 25 jaar in het vak. Ze herkent dit wel: 'Jonge stellen zijn meestal tweeverdieners. De vrouwen stoppen laat met werken en gebruiken die paar weken zwangerschapsverlof om nog even de babykamer in te richten. En een dag na de bevalling zitten de dames alweer met hun laptop in bed.' Henriëtte van Wijk van stadspraktijk Groningen: 'Heel zwart-wit gezegd: vooral stadsmensen werken veel. Zo'n zwangerschap komt er even bij. En soms rennen ze zichzelf voorbij.'
De moderne moeder in spe zou bovendien te snel en te veel in haar hoofd zitten tijdens het baren. Kraamverzorgster Inge Schotman: 'Sommige vrouwen beginnen al bij twee centimeter te zuchten om de weeën op te vangen terwijl dat vaak helemaal

niet nodig is. Tussen de weeën door roepen ze: "Ja maar ik heb gelezen dat het kind bij vijf centimeter moet zijn ingedaald, moet ik nu naar het ziekenhuis?" Ze kunnen niet in die rust komen en zich overgeven. Ze zijn zo aan het nadenken; dat maakt het baren veel lastiger.' Verloskundige Govi Hoskam: 'Ze willen de gebeurtenissen in eigen hand houden, vinden het heel moeilijk om los te laten. Maar het laatste wat je in eigen hand hebt is je bevalling.'

## Nog eerder insturen

Verloskundigen en gynaecologen proberen het tij te keren en het aantal verwijzingen een halt toe te roepen. Daarbij trekken ze zich vooral wat aan van de indicaties niet vorderende ontsluiting en niet vorderende uitdrijving. Want dat moet anders kunnen. De oplossingen die verschillende groepen in verloskundigenland aandragen staan echter haaks op elkaar. Er moet juist veel eerder ingestuurd worden, meent bijvoorbeeld Paul Reuwer van het Sint Elisabeth Ziekenhuis in Tilburg. Verloskundigen laten zwangeren veel te lang thuis de weeën opvangen. 'Vrouwen komen binnen als een uitgekakte erwt, ze kunnen geen scheet meer laten, laat staan een kind op de wereld persen. Dan eindigt zo'n bevalling in een keizersnee en denk ik: mijn god, dat was toch helemaal niet nodig geweest.' Gunilla Kleiverda, al meer dan twintig jaar gynaecoloog in het Almere ziekenhuis, herkent het plaatje deels. 'Ik zou het zeker niet willen zeggen over alle verloskundigen, maar ik zie het wel eens. En dan denk ik: ja, dat is niet in het belang van die mevrouw geweest.' Reuwer legt de zwarte piet niet alleen neer bij verloskundigen. Want ook gynaecologen wachten nogal eens te lang. Met het gevolg dat vrouwen totaal uitgeput raken zodat ze niet meer kunnen persen. En dat heeft dan weer het boemerang-effect dat het aantal medische ingrepen en kunstverlossingen stijgt, meent Reuwer.

Ervaringen van vrouwen staven deels zijn theorie. Annemieke kreeg bij haar eerste kind een 'vals alarm'. Vrijdagochtend begonnen de weeën. Ze waren heel pijnlijk en kwamen ook vrij snel achter elkaar. 'Op zaterdagmiddag, meer dan anderhalve dag later, kwam de verloskundige om te toucheren. Drie centimeter. Dat was zo ontmoedigend. Ze besloot de vliezen te breken. Daarna ging het wat sneller, maar ik was uitgeput.' Pas na een paar uur besloot de verloskundige naar het ziekenhuis te gaan. 'De gynaecoloog daar was verbijsterd. "Mijn god," zei hij. "Waarom ben je nu pas hier?" Ze hadden me veel te lang laten aanmodderen thuis, vond hij.' Annemieke kreeg een ruggeprik. 'Dat was fantastisch. Ik kon voor het eerst in 36 uur wat op adem komen.'

Rond diezelfde tijd werd Madeleine juist in het ziekenhuis niet tijdig geholpen. Ze begon thuis, maar moest naar het ziekenhuis omdat het vruchtwater groen was. Het was haar eerste. In een kleine kamer probeerde Madeleine zo goed en zo kwaad als het kon de weeën op te vangen. Echt goed ging dat niet. Ze lag 'vastgesnoerd' aan een infuus. De hartslag van het kind werd bijgehouden met een elektrode. 'Ik heb twaalf uur lang in dezelfde houding op bed gelegen. Later bleek dat ik best had kunnen rondlopen, maar dat had niemand me verteld.' De eerste centimeters verliepen vlot, maar ze kreeg maar geen volledige ontsluiting. 'Er bleef een randje staan, zoals ze dat noemden.' Pas een halve nacht verder mocht ze persen. 'Dat was een ramp. Drie uur lang heb ik persweeën moeten opvangen. Ik was totaal uitgeput. Er werd niets gedaan, alleen maar gewacht.' Om zeven uur 's morgens kwam er een andere arts. 'Die zei: "Dit kan niet zo."'

Madeleine werd gemasseerd en kreeg oxytocine om de weeën op te wekken. 'Maar ik had geen kracht meer.' Uiteindelijk is haar zoontje met een vacuüm geboren.

### Goed om te weten!

#### Vliezen breken

Soms breken verloskundigen – zowel thuis als in het ziekenhuis – de vliezen voortijdig (amniotomie). Dit stimuleert de productie van prostaglandine, waardoor de effectiviteit van spontane weeën wordt verbeterd.

. . . . . . . . . . . . . . . . . . . . . . . . . . . . . . . . . . . . .

## Wat heeft de vroedvrouw bij zich

- een bevalset, met klemmen, scharen en handschoenen voor de 'normale' bevalling
- zuurstofkoffer, om het kind te reanimeren
- injecties om bloedingen tegen te gaan
- een gewone weegschaal of een Unster: een elektronische weegschaal om het geboortegewicht te wegen. Een unster wordt ook gebruikt om bloed te 'wegen'. Bij meer dan gemiddeld bloedverlies legt de kraamverzorgende of vroedvrouw het maandverband op de unster en trekt daar het gewicht van het verband vanaf om zo het aantal milliliter bloed te schatten
- bloeddrukmeter, om de bloeddruk van de moeder te meten
- hechtset
- doptone – een apparaatje dat via geluidsgolven het hartkloppen van de baby laat horen

- medicatie: oxytocine om de baarmoeder te laten samentrekken en nabloedingen te beperken, verdovingsvloeistof voor knippen of hechten
- infuussysteem (in te brengen bij nabloedingen)

# PSOL

Reuwer weet wel hoe het komt dat er zo lang 'aangemodderd'
wordt. Samen met de Utrechtse gynaecoloog Henk Bruinse
schreef hij het boek *Preventive Support of Labour* (PSOL), in minder catchy Nederlands vertaald met 'Preventieve Ondersteuning
van de Baring'. Het kwam in 2002 op de markt. Verloskundigen
maar ook veel gynaecologen hangen de 'verloskundige filosofie
aan dat het natuurlijke baringsproces niet verbeterd kan worden,'
schrijven de gynaecologen in het boek. Ze laten de natuur haar
werk doen. En dat is prima als een zwangere het aankan en in
goede conditie is, maar de vrouw van nu kan en wil zo'n ellenlange bevalling niet meer, menen de twee gynaecologen.

In hun boek doen Reuwer en Bruinse een aantal aanbevelingen
om vrouwen een kans te geven op een 'spontane vaginale partus'. Een vrouw zou gebaat zijn bij het duidelijk aangeven van
een maximale tijd van baring van twaalf uur. De verloskundige
kan het beste een partogram bijhouden, waarbij ze vanaf de eerste centimeters ontsluiting het verloop in de gaten houdt. Je
moet uitgaan van één centimeter per uur, hooguit twee uur. En
vooral erbij blijven, het liefst een op een. Ook als er bij de eerste
nog maar vier centimeter in zicht is.

Als er dan nog geen schot in de zaak zit of er is wel volledige
ontsluiting maar persdrang blijft uit, dan zou je – als dat nog
niet gebeurd is – de vliezen moeten breken en daarna – als het

gaat om een eerste kind – de weeën extra moeten stimuleren door een infuus met oxytocine. Dat laatste altijd in het ziekenhuis. Mocht de uitdrijving niet vorderen dan raden de gynaecologen al naar gelang de reden aan om eveneens bij te stimuleren met oxytocine, althans als het een eerste kind betreft. Bij een tweede zou dat risico's geven.

## Cijfers & Onderzoek
•• •• •• ••• •• •• ••• •••

### Meer inleidingen
In 2003 werd 28,8 procent van de zwangeren ingeleid, in 2006 was dat 31,5 procent.[7]

### Goed om te weten!
Inleidingen verhogen de kans op kunstverlossingen en keizersnedes (sectio's), vooral bij vrouwen die bevallen van hun eerste kind. De kans is zeventig procent hoger dat je bij een eerste een sectio krijgt na een inleiding dan na een spontane bevalling, ofwel: als de kans op een sectio bij een spontane bevalling tien procent is, dan is die bij een ingeleide bevalling zeventien procent.[8]

## Twijfel

Op verschillende plaatsen wordt al gewerkt met Preventive Support of Labour. Toch is er ook weerstand tegen de methode. Vicevoorzitter van de KNOV Angela Verbeeten ziet wel dat het lange afwachten passé is. 'Het wordt steeds minder geaccepteerd – zowel door verloskundigen, gynaecologen als cliënten – dat een bevalling drie dagen duurt. En ja, dat gevoel wordt wel goed verwoord in PSOL,' meent ze. Maar ze vindt de uitvoering te rigide. Er zijn vrouwen die best langer dan twaalf uur over een bevalling willen doen, zeker als ze daardoor ontsnappen aan medische ingrepen als een inleiding, aldus Verbeeten. 'Waarom zou je die vrouwen dat recht ontnemen, omdat je ergens bedacht hebt dat een bevalling niet langer dan twaalf uur mag duren?' Reuwer blaast de kritiek weg. 'Wat een onzin. Ik heb nog nooit een vrouw gesproken die na twaalf uur baren zei: hè wat jammer dat het niet langer duurt. Een vrouw heeft veel liever een naald in haar arm met een weeënopwekkend infuus dan na 24 uur een forceps in haar vagina of een mes in haar buik. Want dat is vaak wel het alternatief.'

Juist dat laatste wordt door menigeen in twijfel getrokken. Vliezen breken, bijstimuleren, volgens Angela Verbeeten van de KNOV zijn er geen harde cijfers dat dit nou betekent dat die vrouwen minder kunstverlossingen of keizersnedes zouden krijgen. Ook wetenschapsjournalist Mariël Croon wijst naar het gebrek aan 'evidence based onderzoek'. 'Ik ben daar nog niets over tegengekomen.' En zelfs hoogleraar obstetrie Gerard Visser heeft zo zijn bedenkingen. 'De waarde van PSOL is dat je mensen duidelijkheid kunt geven: u bent nu hier, u heeft zoveel centimeter ontsluiting dus het moet binnen twaalf uur ook echt klaar zijn. Maar of snel oxytocine geven en de vliezen breken effect hebben is nog de vraag.'

Wat wel keihard vaststaat is dat een bevalling beter verloopt als er continue begeleiding en steun aanwezig is tijdens zo'n groot mogelijk deel van de bevalling. Visser: 'Daar zijn genoeg resultaten van bekend.' Ook Mariël Croon is ervan overtuigd dat goede en continue begeleiding tijdens de bevalling cruciaal is. 'Binnenlands, maar ook buitenlands onderzoek toont aan dat de verschillen tussen wel of geen begeleiding enorm zijn. Goede een-op-eenbegeleiding vermindert de behoefte aan pijnbestrijding en het aantal kunstverlossingen.'

En – zo blijkt eveneens – continue begeleiding houdt meer mensen thuis. Verloskundige Simone Valk werkt met PSOL in haar eigen praktijk in Rotterdam. Ze is er laaiend enthousiast over. 'We hadden altijd al veel thuisbevallingen, zo rond de 40 procent. Maar in 2004, toen we PSOL gingen toepassen schoot dat omhoog naar 59,8 procent. Die stijging zat hem vooral in de primi's met drie centimeter ontsluiting waar je naast blijft zitten. Zij hebben dan soms na één uur al zeven centimeter ontsluiting. Ze zien dat het opschiet en besluiten dat ze het in zo'n tempo thuis wel klaar gaan spelen. En dat lukt ze dan ook.'

● ● ● ● ● ● ● ● ● ● ● ● ● ● ● ● ● ● ● ● ● ● ● ● ● ● ● ● ● ● ● ● ● ● ● ● ● ● ●

### Wat gebeurt er bij een verwijzing?

Als je wordt overgedragen van de eerste lijn naar de tweede of derde lijn met een medische indicatie val je onder verantwoordelijkheid van de gynaecoloog. Dat wil niet zeggen dat deze ook jouw bevalling doet. Meestal word je overgedragen omdat het risico dat er iets mis gaat groter is dan gemiddeld. Als de ontsluiting eenmaal in het ziekenhuis wel vordert, hetzij spontaan, hetzij door weeënopwekkers en verder alles goed gaat, maakt een arts-assistent, klinisch verloskundige en soms je eigen verloskundige – onder supervisie van de gynaecoloog – de bevalling af. Een medische indicatie vanwege niet-urgente redenen is meestal geen reden om de volgende keer niet thuis te mogen bevallen.

● ● ● ● ● ● ● ●● ● ●● ●●● ●● ●●● ●●● ●●● ●●● ●●● ●●● ● ●● ●

## Verloskundige in ambulance?

Als de ambulance ingeschakeld wordt, wat overigens maar weinig voorkomt, draagt de verloskundige in principe de zorg over aan het ambulancepersoneel. Dat personeel is dan verantwoordelijk voor de zwangere en haar kind. Als de verloskundige meerijdt in de ambulance is zij verantwoordelijk.

### Doen!

Bel op tijd, zelfs al voel je je een zeurpiet. Als je onzeker of ongerust bent, eis dan dat de verloskundige komt in plaats van dat ze je weeën aan de telefoon beoordeelt. Of laat je partner bellen.

### Doen!

Als je tijdens de baring naar het ziekenhuis moet, is het mogelijk dat het ziekenhuis van je keuze vol ligt. Stel daarom als je thuis wilt bevallen van tevoren met je verloskundige een lijstje op met ziekenhuizen waar jij het liefste heen wilt in het geval je een medische indicatie krijgt. In spoedgevallen zal de vroedvrouw het ziekenhuis uitkiezen waar je terechtkunt of op dat moment de beste hulp krijgt.

# Weeënrit

Amy is al een nacht bezig met het opvangen van de weeën als ik samen met verloskundige Heleen Kool binnenkom. Amy hangt over de rand van de nieuwe box. Ze is rustig en puft geconcentreerd de weeën weg. Heleen laat haar nog een tijd lang weeën opvangen en wil dan kijken hoe ver de ontsluiting gevorderd is. We gaan naar boven. In de slaapkamer staat het tweepersoonsbed op kratten. Amy wil thuis bevallen. 'Toen ze net zwanger was, wilde ze naar het ziekenhuis,' vertelt haar vriend Alex. 'Ze had een onveilig gevoel bij thuis. Maar naarmate de zwangerschap vorderde, kreeg ze meer vertrouwen in zichzelf en in de verloskundigen en wilde ze toch graag thuis.' Alex vindt het best. 'Thuis is toch je eigen plekje.'

De verloskundige zet de doppler op Amy's buik. Luid en duidelijk horen we de harttonen van het kind. 'Heb je al eens een inwendig onderzoek gehad?' Nee, knikt Amy. Ze sluit haar ogen, verdrijft een zichtbaar gemene wee. Heleen toucheert de baarmoedermond. Acht centimeter. Dat gaat goed voor een eerste. 'Ik voel het koppie al,' zegt ze. 'Je doet het hartstikke goed.' Amy lacht. Terwijl Heleen haar handschoenen uittrekt zegt ze: 'Ik verlaat dit pand niet meer voordat het kind er is.' Amy kijkt gerustgesteld. 'Gelukkig.' Dan informeert Heleen naar de plek van bevallen. 'Wil je thuis of poliklinisch, want anders moeten we nu naar het ziekenhuis.' Amy wil thuis.

De kamer wordt opgetuigd voor de komst van de baby. Alex zet de verwarming op vol. Heleen opent haar bruinleren verlostas. Ze legt haar verlosspullen op bed: matjes, scharen, een handdoek. Ze zet het koffertje met zuurstof binnen handbereik en belt de kraamzorgcentrale voor partusassistentie. Amy puft. Soms kreunt ze zacht, zegt tegen niemand in het bijzonder: 'Waarom hebben ze het niet gemakkelijker gemaakt.' Heleen en Alex praten haar moed in. 'Je bent een bikkel,' zegt Alex, terwijl hij over haar rug wrijft. Heleen geeft hem massageolie. Na een tijdje neemt ze het zelf over. Het is muisstil in de kamer, op het wrijven van Heleens handen en het zuchten van Amy na.

Toch stagneert het proces. Ruim twee uur later is er nauwelijks een centimetertje meer, volledige ontsluiting is nog niet in zicht. Zou het door ons komen? 'Wij verstoren het een beetje,' meent Heleen. Tegen Amy: 'Jij wilt in je hol kruipen.' We gaan naar beneden en laten Amy en Alex boven. De kraamverzorgster belt aan.

De seconden tikken traag weg. Na nog eens twee uur komt Alex naar beneden. Amy wil helemaal alleen zijn. Toch helpt ook dat niet. De weeën blijven zwak. Na een half uur gaan we weer boven kijken. Het lachen is Amy ondertussen vergaan. Met een rood bezweet hoofd ligt ze uitgeput op het hoofdkussen. 'Is het normaal dat het zo lang duurt?'

De praktijk van Heleen werkt sinds vier jaar met een partogram. Met behulp van een grafiek houdt Heleen bij hoe de ontsluiting verloopt. Binnen twee uur minder dan één centimeter vorderen is geen beste zaak. Dan is het misschien beter om weeënopwekkers te geven in het ziekenhuis. Zodat Amy nog op eigen kracht kan persen en een kunstverlossing kan worden voorkomen.

Heleen neemt een beslissing. Als Amy straks geen goede persweeën heeft, gaan we naar het ziekenhuis om bij te stimuleren. Maar voor die tijd probeert ze nog een en ander om de weeën sterker te maken. De vliezen zijn nog niet helemaal gebroken. Dat kan de ontsluiting remmen. Heleen prikt het laatste stukje door. Ze vraagt aan Amy of ze wil plassen. Maar Amy kan niet. Ze wil wel onder de douche. Ook dat wil nog weleens helpen om de weeën effectiever te maken. De kraamverzorgster loopt achter hen aan met een schone handdoek: 'We trekken nu de hele trukendoos open.'

Het mag niet baten. Om 14.45 zit Amy in de auto bij Heleen. Haar vriend rijdt er met de maxi cosy achteraan. Amy zucht. Ze is op. 'Wat een ellende,' moppert ze, terwijl ze haar buik ondersteunt. 'Dit heeft vast een man bedacht.' Binnen een kwartier zijn we in het ziekenhuis. Amy gaat in de rolstoel naar boven. Daar staat een klinisch verloskundige klaar om de klus af te maken. Heleen wil blijven en dat is geen probleem. Heleen lacht naar mij: 'We kennen elkaar goed.' Amy gaat aan een infuus met oxytocine, de klinisch verloskundige gaat bij haar naar binnen om een elektrode op het hoofdje van het kind te plakken. Daarmee worden de harttonen bewaakt. Amy krijgt een band om haar buik om de weeënactiviteit te meten. Onder gepiep en geschuif rijdt een verpleegkundige een reanimatietafel naar binnen. Je weet maar nooit.

Na het infuus zijn de persweeën krachtiger. Maar Amy's motivatie daalt met iedere wee. 'Ik wil dit niet meer,' mompelt ze. 'Kan ik geen pijnstilling krijgen?' Heleen: 'Nee, zo meteen mag je persen. Dan heb je juist de krachten van je lijf nodig. Durf maar in je lijf te zitten.' Tien minuten later mag Amy persen, maar na vijf pogingen is ze bekaf. Haar hoofd valt opzij, haar ogen dicht. Heleen spreekt haar dwingend toe: 'Amy, kijk me aan, je bent er nu bijna. Straks is je kindje er, kom op, je kunt het.' Om half vijf glijdt er een kind naar buiten. Het zet een forse keel op. Alex buigt zich over het meisje op Amy's borst.

Dikke tranen biggelen over zijn wangen. Amy is weer klaar wakker en lacht uitbundig. 'Nou, er is in ieder geval niets mis met haar longen.'
*De namen Amy en Alex gefingeerd.*

# 6.

# Liever in de kliniek

*Waarom vrouwen in het ziekenhuis willen bevallen*

'Voor mij is een bevalling een gepland auto-ongeluk,' zegt Heleen door de telefoon. Ze heeft zwangerschapsverlof en zit nu met een dikke buik op een bankje voor de Hema vragen te beantwoorden. Ze draagt haar eerste kind. 'Vaak wordt gezegd dat een bevalling iets natuurlijks is. Maar daar ben ik het niet mee eens. Ik vind bevallen een medische ingreep.' Dat moet ze uitleggen. 'Vrouwen bevallen sinds het begin van de mensheid, maar sinds die tijd bestaan er ook allerlei andere aandoeningen en ziektes. Daarvoor hebben we medische ondersteuning bedacht. Ik kijk op zo'n manier naar een bevalling. Er moet iets verwijderd worden, dat gaat pijn doen, ik ga bloed verliezen. En ik moet ervan herstellen.'

## Cijfers & Onderzoek
. . . . . . . . . . . . . . . . . .
### Laag-risicovrouwen die in het ziekenhuis willen bevallen
- verwachten vaker een eerste kind
- hebben vaker een andere etnische achtergrond dan de Nederlandse
- zijn minder gekant tegen technologische interventies[9]

## Rustgevend

Steeds meer zwangeren kiezen ervoor om met hun verloskundige in het ziekenhuis te bevallen. De redenen hiervoor lopen uiteen. Vaak is het een optelsom van argumenten. Er zijn zwangeren die denken als Heleen. Ze vinden zwangerschap en bevalling medische aangelegenheden. Of ze hebben in hun nabije omgeving gezien hoe zwaar het kan zijn.

In het ziekenhuis voelen ze zich veiliger. Daniëlle is 25 weken zwanger. Haar moeder had een heel moeilijke bevalling en flink veel medische assistentie nodig. 'Het idee dat dokters in de buurt zijn bij die bloederige gebeurtenis lijkt me rustgevend.' En dat meent ook Nicole, die in 2008 beviel van haar eerste: 'Het ziekenhuis is een steriele omgeving. Bovendien geeft het me een veilig gevoel om zoveel deskundigheid bij de hand te hebben.' Praktische motieven spelen ook mee. Daniëlle woont op een bovenetage. 'Als er iets niet goed gaat lijkt het me knap lastig om beneden te komen. Bovendien hebben we geen auto.'

Vrouwen kiezen voor de kliniek omdat ze opzien tegen een weeënrit in de auto of ambulance. Mieke, zwanger van haar eerste: 'Als ik kies voor thuis, heb ik vijftig procent kans dat ik alsnog tijdens de baring naar het ziekenhuis moet. Met negen centimeter ontsluiting, persdrang ophouden, de auto in. Daar heb ik echt helemaal geen zin in.' Ook Jelena ziet niets in thuis bevallen bij een eerste. 'Als je gaat bevallen van je vijfde kind, weet je misschien wat je lichaam doet. Maar bij een eerste weet je niet hoe het gaat verlopen. Als je naar de cijfers kijkt, bevalt uiteindelijk maar een klein deel thuis. Dus eigenlijk ben je bezig met een experiment. Moet ik mij daarvoor lenen?'

Maar een groeiende groep wil naar het ziekenhuis omdat je er pijnstilling kunt krijgen. Maaike is voor de eerste keer zwanger.

'Ik ben snel paniekerig als het om lichamelijke pijn gaat. Als ik het qua pijn niet meer trek, kan ik beter in het ziekenhuis zijn dan thuis.'

### Goed om te weten!
#### Wat is een poliklinische bevalling?

Met een poliklinische bevalling wordt bedoeld dat je in een ziekenhuis bevalt in een verloskamer waar je met je eigen verloskundige naartoe gaat. Soms wordt de verloskundige door een kraamverzorgende begeleid – wel of niet behorend tot het ziekenhuis –, soms door een verpleegkundige. Bevallingen in een onafhankelijke kraamkliniek of geboortekliniek die gerund wordt door kraamverzorgenden of verloskundigen (zie hoofdstuk 7) worden niet altijd poliklinische bevallingen genoemd. Qua kosten zijn ze dat wel.

#### Pijnstilling?

Je eigen verloskundige of huisarts mogen je geen medicamenteuze pijnstilling geven en zeker geen ruggeprik. Als je die wilt moet je onder verantwoordelijkheid van een gynaecoloog bevallen (zie hoofdstuk 8).

## Migranten

De schoonmoeder van Aisha is nu 62. Ze heeft zeven kinderen gebaard. Twee stierven er vlak na de geboorte. 'Ja, dat ging zo toen in ons dorp in Turkije,' vertelt Aisha, 23 en moeder van twee kinderen. Ze schuift haar hoofddoek wat naar achteren en vervolgt: 'Er was niemand bij, geen dokter ofzo, alleen een zuster.

Maar die was niet echt goed opgeleid.' Haar eigen moeder, vertelt Aisha, heeft een soortgelijk verhaal. 'Mijn moeder kreeg dertien kinderen. Zeven zijn nog in leven. De rest stierf in de buik of vlak na de geboorte.' Voor Aisha is het daarom een uitgemaakte zaak. Ze is van haar twee kinderen in het ziekenhuis bevallen. Omdat ze absoluut niet thuis wilde. 'Veel te gevaarlijk,' zegt ze in gebroken Nederlands.

Verloskundige Imen Anwar is van Marokkaanse afkomst. Zij kent de verhalen. En voegt er nog een ander argument om naar het ziekenhuis te gaan aan toe. 'In Marokko betaal je heel veel geld om in een privékliniek te bevallen. Als je geen geld hebt, kom je in een staatsziekenhuis terecht en daar wil je niet zijn. Daar beval je met tien mensen op een kamer, word je onbeschoft behandeld. Dat is heel erg armoedig. En dan beval je dus liever thuis, maar dat staat dan wel gelijk aan geen geld hebben. En dat voelen die vrouwen hier dikwijls ook zo.' Daarnaast wonen nogal wat migranten slecht, weet Anwar. 'Te klein, hoog, smalle trappen.' Als migrantenvrouwen dit aankaarten, gaat ze ter plekke kijken. 'Als ik zie dat het niet veilig is geef ik een sociale indicatie. Want vaak hebben ze weinig geld en dan is de bijdrage voor een ziekenhuisbevalling toch veel. Maar dat zeg ik nooit van tevoren, want dan gaan ze dat doorvertellen en dan komen er meer met dit argument. En dat kan gewoon niet.'

'Ik vind eerlijk gezegd thuis bevallen niets,' zegt Kezban, van Turkse afkomst. 'Als er onverwachte complicaties zijn, kun je in het ziekenhuis sneller geholpen worden. En ik denk dat zo mijn huis schoon blijft. Misschien komt dit raar over, maar ik kan je gerust zeggen dat er best veel vrouwen zijn die er zo over denken.' Ook de Marokkaanse Fadua, geboren in Nederland, koos voor het ziekenhuis. Niet omdat ze antithuisbevalling is. 'Mijn moeder heeft ook veel kinderen gebaard op het platteland, dus ik ken die verhalen en de angst voor het thuis bevallen ook. Maar wij, de eerste generatie zijn toch onderdeel van het systeem hier.' Fadua overwoog thuis. 'Maar ik was bang voor die bevalling, vooral voor de pijn. Tijdens mijn zwangerschap dacht ik al: oh jee wat staat me te wachten. En in het ziekenhuis voel ik me veiliger en fijner. Bovendien hadden we een gehorige woning.'

## Doen!

### Welk ziekenhuis?

Per ziekenhuis kan het beleid verschillen. In sommige ziekenhuizen werken ze met PSOL (zie hoofdstuk 5). In niet alle ziekenhuizen kun je alle vormen van pijnbestrijding krijgen (zie hoofdstuk 8). En in veel ziekenhuizen staat de afdeling verloskunde nog los van de medische afdeling: mochten er complicaties optreden, word je op je verlosbed naar die afdeling gereden. Met name in de grote steden kun je vaak kiezen voor een ziekenhuis. Maar houd er wel rekening mee dat het voorkomt dat het ziekenhuis van je keuze vol ligt en dat je naar een ander ziekenhuis moet. Eveneens kan het gebeuren dat je al in het ziekenhuis van je keuze bent en dat je een medische complicatie krijgt, waardoor je alsnog naar een ander ziekenhuis moet, omdat de medische afdeling vol ligt. Ga na of je je in het ziekenhuis van jouw voorkeur van tevoren moet laten inschrijven. Sommige ziektekostenverzekeraars vragen hierom.

**Goed om te weten!**

**Geen gynaecoloog**

Als je in het ziekenhuis bevalt, huur je als het ware een verloskamer – met je eigen verloskundige. Zolang je 'laag-risi-
co' blijft is zij verantwoordelijk en doet zij jouw bevalling. De
gynaecoloog komt pas in zicht als er complicaties dreigen
of je pijnstilling nodig hebt. Dat betekent in veel gevallen dat
je naar de medische afdeling van het ziekenhuis moet.

# Moderne zwangere

Als je het 'type zwangere' wilt omschrijven dat naar het ziekenhuis gaat kom je uit bij het volgende. Ze is eerder lager dan hoger opgeleid, angstiger, maar ook mondiger. Ze wil weten waar
ze aan toe is en zoveel mogelijk controle houden over haar eigen
bevalling. 'Het is mijn lichaam en mijn bevalling, mag ik dan
ook weten hoe en waar ik beval?' schrijft een zwangere op een
van de vele fora voor aankomende ouders. De moderne moeder
in spe accepteert geen ellenlange bevallingen meer. Ze hoeft van
zichzelf niet meer de kiezen op elkaar te zetten om flink over te
komen. 'Niet klagen, maar dragen' is een stelling die ze naar de
prullenbak verwijst en pijnstilling beschouwt ze als een recht. En
heel soms vraagt de nieuwe zwangere om een keizersnede, omdat ze meent dat dit een gemakkelijker wijze van baren is. Fysio-
therapeut Josée Busnel geeft al meer dan twintig jaar zwanger-
schapscursussen in Utrecht. De populatie is niet veranderd. Haar
cliëntèle bestaat nog steeds uit wat oudere, hoog opgeleide vrouwen en hun partners die hun eerste kind verwachten. Maar ze
willen de laatste tijd wel vaker naar de kliniek. De mentaliteit is
veranderd, vindt Busnel. Aankomende ouders willen alles veel

sneller. 'Ik zie het aan de cursussen. Vroeger gaven we acht bij-eenkomsten. Nu geef ik er drie.' Ze zijn materialistischer gewor-den. 'Ze denken na over waar ze hun geld aan uitgeven: aan een cursus of aan een kinderbedje.'

Maar stellen willen bovenal zekerheid en als het even kan alles plannen. Dat was altijd al zo, meent Busnel, maar de laatste jaren is dat nog erger geworden. Dit geldt nog meer voor mannen dan voor vrouwen. 'Gisteren op de cursus zei een man tegen me: "Ik wil flink veel feiten." Ik zei: "Jij wilt gewoon een draaiboek, het liefst met datum en tijd van bevallen erbij, zodat het past binnen jouw afspraken." Daar moest hij verschrikkelijk om lachen.'

De moderne moeder in spe zou te veel in haar hoofd kruipen en te weinig vertrouwen hebben in haar lichaam. Onder meer omdat ze te veel 'slechte' voorbeelden om zich heen heeft gezien. Al-thans, dat meent Beatrijs Smulders. Volgens Smulders is dat de reden waarom de nieuwe zwangere liever niet thuis wil bevallen. 'Deze generatie is veel angstiger dan de vorige. Ik denk ook dat hun moeders vaker poliklinisch zijn bevallen.'

## Dierlijk

Het is de vraag of deze conclusie ook geplakt kan worden op vrouwen als Heleen, Mieke of Maaike. Maaikes moeder is van haar in het ziekenhuis bevallen en die van Heleen ook. 'Mijn ou-ders hadden op dat moment net even geen huis.' Maar haar zus is wel thuis geboren. Heleen: 'En dat was, zo hoor ik altijd, een veel prettigere bevalling. Toch adviseerde mijn moeder ons allebei in het ziekenhuis te bevallen, vanwege de betere medische opvang.' En of ze veel banger zijn? Zelf vinden ze eerder dat ze realistisch denken. Heleen snapt überhaupt niet dat vrouwen het in eigen bed willen proberen. 'Stel dat je echt binnen twee minuten een medische ingreep nodig hebt? Ik begrijp niet dat je door thuis te bevallen het risico neemt dat je die ingreep niet op tijd krijgt.' Mieke is niet bang, zegt ze. 'Als ik van tevoren de garantie had dat ik thuis kon blijven, deed ik het thuis.' En of ze erg in haar hoofd kruipt? 'Mwaaah. Het lijkt me heel dierlijk. Ik denk dat je lichaam het gaat overnemen.'

Dat de dames poliklinisch willen bevallen, wil niet zeggen dat ze wars zijn van een fysiologische bevalling. Heleen wil medische hulpmiddelen in de buurt hebben, zodat ze onmiddellijk gebruikt kunnen worden als het nodig is. 'Maar ik wil het eerst op eigen kracht proberen.'

'Spuit mij maar plat, als ik maar niets voel,' dacht Maaike in de eerste maanden van haar zwangerschap. 'Maar naarmate ik langer zwanger ben en het goed voelt denk ik: ik ga eerst proberen om het zelf te volbrengen.' En Mieke heeft al nagedacht over hoe ze onnodige medische ingrepen kan voorkomen. 'Naast mijn partner is er ook een vriendin bij. Dat laatste heb ik bewust gedaan. Mijn vriend zit natuurlijk in die "wat-gebeurt-hier-sfeer". Mijn vriendin is assertief. Zij kent mij en kan roepen: "Kan het hier wat rustiger" of "dit doen we niet".'

### Goed om te weten!

#### Waar is de gynaecoloog?

Een gynaecoloog doet veel meer dan bevallingen alleen. Hij heeft spreekuren op de polikliniek, consulten, voert operaties uit. Als je ingestuurd wordt of een ruggeprik krijgt, is de kans dan ook groot dat je de gynaecoloog even aan je bed ziet, maar dat je bevalling gedaan wordt door een klinisch verloskundige of een arts-assistent. Mocht er echt iets urgents aan de hand zijn, dan doet de gynaecoloog meestal wel zelf je bevalling.

### De 'missers' van het ctg-apparaat

Om de foetus tijdens de baring te monitoren wordt een ctg (cardiotocografie) gebruikt. Het is een belangrijk hulpmiddel om foetale nood te ontdekken. Een probleem van een ctg is echter dat de 'sensitiviteit' hoog is, maar de' specificiteit' laag. Ofwel: er gaat nogal eens een vals alarm af. Dan geeft het ctg aan dat er iets mis is met het kind, terwijl dat niet zo is. Deze 'missers' komen vaker voor bij laag-risico-zwangeren. Dat is een reden om niet iedere zwangere in een ziekenhuis aan het ctg te leggen.

# Een zoon

Een maand later heb ik Heleen weer aan de telefoon. Ze is inmiddels bevallen van een gezonde zoon. Ergens achter haar stem hoor ik een kind murmelen. 'Ik pak hem er even bij,' zegt ze. Ze heeft een prima bevalling gehad, vertelt ze, met haar kind aan de borst. 'Ik had bij twee centimeter ontsluiting al weeën om de minuut. Dus kon ik al vrij snel naar het ziekenhuis. Daar vroeg de verloskundige of ik pijnstilling wilde. "Zo ja, dan moet je binnen nu en twee uur beslissen," zei ze. "Daarna kan het niet meer." Na twee uur had ik al vier centimeter en ik trok het nog, dus ik dacht: ik ga het zonder proberen.'
Omdat ze het toch wat te langzaam vond gaan, brak de vroedvrouw Heleens vliezen. 'Daarna kreeg ik toch weeën. Onvoorstelbaar. Alles wat ik geleerd had op mijn cursussen, puffen enzovoort, ik kon het allemaal niet meer. Ik zag sterretjes. Ik wilde

echt pijnstilling. Maar toen de verloskundige toucheerde, had ik al negen centimeter, dus ik kon geen pijnstilling meer krijgen. Echt teleurgesteld ben ik daarover niet. Ik had het idee dat ik het in eigen hand had. Het was *mijn* beslissing om door te gaan zonder pijnstillers. En ineens had ik een kind. En geen weeën meer. Dat was leuk.'

## Goed om te weten!

### Arts en apparatuur komen naar jou toe

Steeds meer ziekenhuizen hebben verloskamers – ook wel kraamsuites genoemd –, zodat je niet van de ene naar de andere afdeling hoeft te worden gereden, mocht zich een medische complicatie voordoen. De gynaecoloog en verpleegkundigen komen naar jou toe, evenals de meeste – mobiele – apparatuur (zoals een ctg-apparaat, infusen). Voor een keizersnede moet je nog wel naar de operatiekamer gereden worden. In deze kraamsuites kun je meestal ook na je bevalling blijven liggen.

## Doen!

De basiszorgverzekering vergoedt wel een thuisbevalling voor honderd procent, maar voor het ziekenhuis wordt een bijdrage in de kosten gevraagd. Het hangt af van je verzekering hoe hoog deze is. Hoe meer je bent bijverzekerd, hoe lager die kosten zijn.

# Bij de 'gyn'

Dinsdag 12.00 uur. In het Medisch Centrum Haaglanden locatie Westeinde heeft gynaecoloog Kees Yedema er twee operaties op zitten. Om 8.00 uur had hij een mevrouw met cystes
in de eierstokken. Van de tweede operatie moet hij nog bijko-
men: dat was een keizersnede bij een mevrouw van 120 kilo, 1
meter 50 lang. Yedema: 'Dat is echt zwoegen. En niet zonder
risico's. De bewaking van het kind met ctg's en echo is een ha-
chelijke onderneming. Door die vetlagen hoor je niets, zie je
weinig en voel je nauwelijks iets. Snijden is moeilijk, want je ziet
niet goed waar je heen moet.'
Yedema werkt sinds 1995 in een maatschap in het Westeinde
Ziekenhuis, een ziekenhuis met veel allochtone cliënten, blanke
mensen uit de lagere sociaal-economische klasse en illegale
onverzekerden. 'Veel overgewicht, soa's, roken, drinken, dope
en psychiatrie,' zoals Yedema het in een notendop samenvat.
Hij geeft een voorbeeld van dat laatste: 'Onlangs kwam er een
psychotische zwangere uit Oeganda binnen. Ze gilde de verloskamers bij elkaar, zag overal spoken. Ze raakte volkomen
psychotisch tijdens de bevalling. Dat werd een ruggeprik met
een keizersnede.'
Niet altijd gaat het goed. Net als zijn collega's heeft Yedema meerdere malen te maken gehad met kinderen die
stierven tijdens of net na de bevalling. En een enkele keer
een moeder. Vaak zijn de sterfgevallen niet te vermijden.
Maar het blijft moeilijk. 'Nee, je went er nooit aan.' Toch zou
hij geen andere baan willen. 'Ik zou geen neusarts willen zijn

bijvoorbeeld. Dit gaat toch om leven of dood.'

Yedema begint de morgen om 8.00 uur, met geplande operaties, daarna spreekuren en indien er tijd over is een paar visites bij cliënten op de kraamafdeling. 's Avonds heeft hij supervisie over de verloskunde-afdeling en 's nachts probeert hij 'een tukkie te doen' in zijn 'slaapkamer' in het ziekenhuis, om dan de volgende morgen weer te beginnen met operaties en vervolgens de spreekuren. Tussen de bedrijven door kan hij opgepiept worden voor een urgent geval. De arts-assistenten doen zoveel mogelijk zelf. Maar Yedema is eindverantwoordelijk. 'Ze mogen me altijd bellen. En dat doen ze ook.' Hij grijnst: 'Ze houden me wel uit mijn slaap, hoor.'

Op de poli is dertig procent van de cliënten Hindoestaans. Yedema: 'In die groep zie je veel perinatale sterfte. Ze hebben vaker dan gemiddeld suikerziekte. Of bloedarmoede op basis van sikkelcelanemie en thalassemie.' Op Yedema's spreekuren komen veel Spaanssprekende dames. Hij spreekt vloeiend Spaans omdat hij een tijdlang in Latijns-Amerika 'rondzwierf.' Dat zegt zich voort. In zijn spreekkamer kijkt hij op de lijst; een zwangere Portugese. Ze moet nog een paar weken, maar heeft zich afgemeld. De reden is onbekend. Yedema schudt zijn hoofd. 'Dat zie je wel vaak bij allochtone mensen. Dan komen ze niet opdagen voor een consult, maar wel de volgende dag de EHBO binnen rollen.'

Even later gaat een Hollands stel aan Yedema's tafel zitten. Na anderhalf jaar proberen kreeg zij een miskraam waarna ze gecuretteerd moest worden. Het is niet gegaan zoals zij wilde. Yedema luistert, belooft de betrokkenen aan te spreken. De tien minuten consult worden er veertig. Daarna komt een Spaanstalige dame binnen. Ze heeft hevige buikpijnen. Haar vierde en laatste kind is dood geboren; na een inleiding scheurde haar baarmoeder. Yedema onderzoekt haar met het echo-apparaat. Ze is nu 41, maar wil misschien nog een kind. Na een uterusruptuur kan dat echter levensgevaarlijk zijn. Yedema werpt op dat een kind misschien niet zo'n goed idee is. Een Somalisch echtpaar schuifelt binnen. De vrouw wordt maar niet zwanger. Ze heeft geen baarmoederhals. Ook ivf is geen optie, maar de vrouw – tranen in haar ogen – geeft niet op. Yedema: 'Ik zal eens rondbellen met andere ziekenhuizen.' De volgende cliëntes zijn allen boven de 45. Ze hebben vleesbo-men, menstruatieproblemen, bloedarmoede en dikwijls veel behoefte aan aandacht. Tussendoor gaat de telefoon. Een collega met de vraag over een baarmoederoperatie. 'Hoeveel?' schrikt Yedema. 'Ik had er vanochtend ook een. Een gevecht tegen de elementen. 149 kg, zeg je. Nou ja, laten we een poging wagen.'

Om 16.00 uur is het spreekuur officieel ten einde, maar er zit-ten nog zes patiënten in de wachtkamer. De telefoon rinkelt. 'Ik wil niet,' murmelt Yedema. Maar hij neemt toch op. Een arts-assistente is bezig met Yedema's specialisatie, een hysteroscopische operatie (een inspectie van de baarmoeder met een speciale 'binneninkijker' ofwel endoscoop). Ze heeft hulp nodig. 'Maar dan moet iemand die losloopt de poli over-nemen,' zegt Yedema. Daarna duwt hij zijn echo-aparaat op wieltjes de spreekkamer uit, de gangen door naar de ok. Daar ligt een jonge vrouw in de beenbeugels. Ze heeft littekenvor-ming in haar baarmoeder na een tweede curettage, opgelopen na twee miskramen. De verklevingen moeten weggeknipt wor-den, anders raakt ze niet meer zwanger. Yedema volgt de ca-mera op een scherm en knipt met een minuscuul schaartje. Het meisje houdt haar adem in van de pijn. Yedema: 'Je doet het goed, hoor.'

Terug naar de spreekkamers. Yedema's patiënten worden op-
gevangen door een collega. Ondertussen praat de gynaecoloog bij met een arts-assistent: een vent van een jaar of dertig. Hij heeft net een ruptuur gehecht. 'En die mevrouw van
vannacht?' vraagt Yedema. 'Is dat toch een vacuüm geworden?' Ja, maar ook dat leverde een mooi kindje op.
Er is die avond een borrel van een collega. Yedema gaat er-
langs, eet een sateetje, en bezoekt daarna de vrouwen die hij
vanochtend geopereerd heeft. Het meisje met de cystes
vraagt of ze nog spontaan zwanger kan raken. Volgens Yedema is die kans minimaal. 'Maar ik zeg nooit nooit.' Ze slikt
haar tranen weg. Op de kraamafdeling ligt een enorme Surinaamse moeder. De kleine ligt er in een plastic wiegje naast.
Yedema feliciteert haar, wijst naar de baby. 'Het was niet gemakkelijk, hè. Gelukkig ging het goed.' 'Ja,' zucht ze tevreden.
De gynaecoloog neemt de lift naar de afdeling verloskunde.
Achter acht monitoren zitten een klinisch verloskundige, een
verpleegkundige en een arts-assistente. Op de blauw-witte
schermen lopen de pieken en dalen van de weeënactiviteit van
een mevrouw met een tweeling. Yedema: 'Houd die in de gaten.'
De arts-assistente heeft een vraag. Er is een dakloos meisje
binnengekomen, recht van straat, met forse weeën. 'Ze heeft
al een zoontje dat uit huis is geplaatst. Meldpunt Kindermis-
handeling bellen?' Yedema kijkt naar de gegevens. 'Ja, doe
maar.'
Het is inmiddels over tienen. Yedema gaat bij de tweeling-
zwangere kijken. Ik loop naar de uitgang.

# 7.

# Verplaatste thuisbevalling

*De opmars van kraamklinieken, geboorte- en bevalcentra*

'Ik heb hard gehuild, toen ik naar huis moest. Zo fijn was het hier.' Tamara – gezet postuur, blond haar, vrolijke blauwe ogen – zit aan een tafeltje in kraamsuite nummer 12 van kraamhotel De Meiboom in Tilburg. Tegenover haar zit man Ruud achter zijn laptop. In een wiegje van plexiglas tussen twee bedden – een voor haar, de ander voor Ruud – ligt hun dochtertje van twee dagen oud. Er is een groot aanrecht met een commode. In een kast ernaast hangen kleertjes en liggen cadeautjes. Naomie is hun tweede kind. Bij de eerste heeft Tamara ook hier gekraamd. Bevallen is ze in het TweeSteden ziekenhuis, waar De Meiboom met een lange gang mee verbonden is. 'Ik ben beide keren ingeleid.' Tamara heeft bekkeninstabiliteit en dat was een reden om voor De Meiboom te kiezen. 'Als ik thuis ben, ga ik te veel doen. Hier heb ik echt een weekje rust.' Ook Ruud is tevreden. 'Tamara wilde de eerste dag na de bevalling de hele dag door al visite laten komen. Maar tussen 13.00 en 15.00 uur moet je hier verplicht rusten. En dat is goed.' Beiden vinden het vooral fijn dat er 24 uur per dag een kraamverzorgende is. 'Als de baby 's nachts huilt en je er niet van kunt slapen, bel je de kraamverzorgende. Die neemt haar dan mee.' En de kosten? Voor Tamara wordt – behalve haar eigen bijdrage – alles vergoed uit de basiszorgverzekering, net zoals dat gebeurt na een thuisbevalling. Voor Ruud betalen ze

16 euro per dag extra. 'Maar dat hebben we ervoor over.'

De Meiboom is een van de oudste kraamzorgklinieken in Nederland. Vroeger was het vooral gericht op ongehuwde moeders die niet thuis konden bevallen. Nu is het een plek voor alle zwangeren die niet thuis, maar ook niet in het ziekenhuis willen bevallen. Het principe is simpel. Het kraamhotel wordt geëxploiteerd door een kraamzorgaanbieder en bemenst door kraamverzorgenden die in ploegen dag en nacht aanwezig zijn. Als je gaat bevallen, bel je je eigen verloskundige; zij gaat met je mee. Een kraamverzorgende assisteert bij de partus. Als alles goed gaat, kun je in De Meiboom bevallen en maximaal acht dagen kramen. Krijg je tijdens de bevalling een medische indicatie of wil je een ruggeprik, dan ga je de lift in naar het TweeSteden ziekenhuis. 'Het is eigenlijk een verplaatste thuisbevalling,' zegt de vrouw die me rondleidt. Aan de rode muren hangen grote zwart-witfoto's van baby's en moeders. Ze laat me een van de twee verloskamers zien. In de andere ligt een mevrouw te bevallen. Ze klopt op de deur van kraamkamer 4. Daar zitten Josina en Bart aan eenzelfde tafeltje, hun dochtertje in het wiegje ernaast. Ze wonen in Nigeria, vertellen ze, maar ze wilden hier in Nederland bevallen. 'Het is onze eerste en dan is het leuk als onze familie het kind ook kan zien. En we vonden het in Nederland veiliger.' Maar ja, een eigen plek hebben ze niet meer en bij familie was geen optie. Josina dacht nog wel aan het ziekenhuis. 'Maar daar word je bij één centimeter ontsluiting teruggestuurd. Hier kun je blijven.' De Meiboom was een perfecte oplossing. Toch moest ook Josina de lift in: het kind werd met een vacuümpomp geboren. 'Maar het kramen erna was heerlijk.' Nadelen zijn er ook. 'Je ziet veel verschillende kraamverzorgenden. Dat is minder leuk.'

# Kraamverzorgenden in charge

Klinieken en kraamhotels die gerund worden door onafhankelijke kraamverzorgenden zijn in opmars, vooral in de grote steden. Maar er is verschil in de afstand die ze van een ziekenhuis zitten. De Meiboom is verbonden met het TweeSteden ziekenhuis met een speciale gang. Maar kraamzorghotel Rotterdam Airport huist in een vleugel van het Rotterdam Airport-hotel en vanaf daar moet je, bij een complicatie, toch nog de auto in naar het ziekenhuis.

En ze hebben ook nogal eens een andere naam, een net iets ander beleid en een andere doelgroep. In Den Haag startte naast Medisch Centrum Haaglanden, locatie Westeinde in mei 2008 een kraamcentrum, gerund door een kraamzorginstelling en met een korte lijn naar het ziekenhuis. Maar daar heet het Geboortekliniek. En de cliëntèle is er anders. 'Zo'n 60 procent bestaat uit allochtonen,' zegt directeur Lianne den Haan. 'Die willen vaak liever niet thuis bevallen, maar wel graag lang en verzorgd kramen.'

### Doen!

Bij de meeste kraamklinieken of geboortecentra staan de kosten van een bevalling gelijk aan een poliklinische bevalling. Het ligt dus aan de manier waarop je bijverzekerd bent, hoe duur dit voor jou wordt. Ga dit van tevoren na, dan kom je niet voor verrassingen te staan.

### Goed om te weten!

#### Kraamzorg verzekerd?

Kraamzorg is opgenomen in de nieuwe basiszorgverzekering. Het is daarbij niet van belang of je thuis of in het zie-

kenhuis bevalt. Ook de plaats waar je je kraamtijd door-
brengt is niet van belang. Wel moet iedereen een eigen bijdrage van bijna 4 euro per uur betalen. Met een aanvullende verzekering betaal je – afhankelijk van de gekozen verzekering – geen of minder eigen bijdrage.

In Rotterdam is in 2008 begonnen met de bouw van Geboortecentrum Sophia. Het komt op het dak van het Erasmus MC-So-
phia Kinderziekenhuis en moet eind 2009 klaar zijn. Ook hier
gaat het weer om 24 uurs-kraamzorg en bevallen met je eigen
verloskundige. Dit geboortecentrum is echter in het leven geroepen door een kraamzorginstelling, verloskundigenpraktijken
plus het Erasmus MC en maakt deel uit van het Rotterdamse ge-
meentelijke Aanvalsplan Perinatale Sterfte, waarmee de stad de
sterfte rond de geboorte – in Rotterdam hoger dan elders in het
land – wil terugdringen. Iedereen is welkom in Geboortecentrum
Sophia. Maar duidelijk is wel dat het centrum hoopt op de komst
van zwangeren die extra risico lopen. 'Er is een groep vrouwen
in Rotterdam, autochtoon maar vooral allochtoon, waarbij het
zelfs bij een in opzet laag-risicobevalling twijfelachtig is of het
wel goed gaat,' zegt onderzoeker en arts-epidemioloog Gouke
Bonsel. 'Dan is het van groot belang dat er een gynaecoloog en
kinderarts om de hoek zit. De kinderen doen het vaak net wat
slechter en 24 uurs-kraamzorg kan een cruciaal verschil maken.'

## Verloskundigen in charge

Dan zijn er centra die gerund worden door zelfstandige verloskundigen. Zoals Bevalcentrum West in Amsterdam, dat geves-

tigd is binnen de muren van het Amsterdamse Sint Lucas Andreas Ziekenhuis. In Bevalcentrum West hebben verloskundigen de verloskamers naar eigen inzicht ingericht. Zij hebben de regie over het bevalcentrum; de kraamverzorgenden zijn eveneens gelieerd aan het centrum. In Utrecht is er het UVC (Utrechts Verloskundig Centrum). Dat zit op de derde verdieping van het Wilhelmina Kinderziekenhuis, maar ook daar zwaaien eerstelijns verloskundigen de scepter. Het UVC werkt op basis van PSOL en met eigen kraamverzorgenden *en* verloskundigen. Het aparte van dit centrum is weer dat deze verloskundigen spreekuur houden in verschillende wijken in Utrecht. In een paar van die wijken kan een UVC-cliënt kiezen voor een thuisbevalling. De controles worden dan gedaan door de verloskundigen van het UVC, maar de bevalling door een vroedvrouw van een praktijk waarmee het centrum een verband is aangegaan.

### Goed om te weten!

#### Geen medische apparatuur

In een kraamhotel beval je met je eigen vroedvrouw. Er is geen medische apparatuur. Als je 'medisch' wordt tijdens de bevalling moet je alsnog naar een ziekenhuis.

••• ••• ••• ••• ••• ••• ••• ••• ••• ••• ••• ••• ••• •••

### Redenen om te kiezen voor een kraamhotel of geboortecentrum

- er is 24 uurs-kraamzorg
- als je niet thuis wilt bevallen omdat je bijvoorbeeld klein behuisd bent, geen eigen woning hebt of er veel kinderen thuis rondlopen

- als je bang bent om zonder deskundige hulp te zijn tijdens de ontsluitingsperiode
- vanwege een gevoel van veiligheid (indien er een korte verbinding is met een ziekenhuis)
- als je wilt dat er meer dan thuis mogelijk is wat betreft pijnbestrijding (indien er een korte verbinding is met een ziekenhuis)
- kraamverzorgenden en vroedvrouwen hebben de leiding; minder medicalisering
- vanwege de specifieke filosofie van het centrum (bijvoorbeeld Preventive Support of Labour)

## Huiselijke sfeer

De klinieken proberen meestal een zo huiselijk mogelijk sfeer na te bootsen. De verloskamers van Geboortekliniek Den Haag hebben fotobehang aan de muur met beelden van continenten; Rocky Mountains maar ook pinguïns. In het Amsterdamse Bevalcentrum West zijn de muren oud-roze, staan er kleurige banken, bloemen in vazen en leuke theepotten. Er wordt bewust getracht de sfeer zoveel mogelijk op die van thuis te laten lijken. 'Uit onderzoek blijkt dat thuisbevallingen soepeler verlopen omdat barende vrouwen in een intieme, rustige omgeving minder stresshormonen aanmaken; in een medische verloskamer kunnen zij angstig en onrustig worden van alle medische apparatuur,' schrijven de verloskundigen op de website van Bevalcentrum West. Volgens verloskundige Imen Anwar in Amsterdam werkt het. 'Dat knusse en het feit dat er geen medische apparatuur staat zijn voor veel vrouwen – zowel allochtoon of autochtoon – redenen dat ze ervoor kiezen, zeker bij een eerste kind.'

## Cijfers & Onderzoek
• • • • • • • • • • • • • • • • •

### Met de vroedvrouw minder interventies

In 2003 waren er 191.609 geboortes in Nederland. 107.667 daarvan vonden plaats bij laag-risicozwangeren. 82 procent van al deze laag-rsicozwangeren begon hun bevalling bij een eerstelijns verzorger, 18 procent deed dat in de tweede lijn. Denk daarbij aan ivf-zwangeren die bij de gynaecoloog bevallen. Wat bleek: het aantal kunstverlossingen bij de groep die begeleid werd door eerstelijns verloskundigen, was lager dan die in de tweede lijn (8,9 procent tegen 17,9 procent) en dat gold ook voor keizersnedes (3,4 tegen 12,2).[10]

Criticasters hebben zo hun bedenkingen. Mieke is zwanger van haar eerste en wil bevallen in een kraamsuite in het ziekenhuis, omdat ze daarmee de kans op een persweeënrit in de auto verkleint. Voor haar doen de leuke bankjes er niet toe. 'Volgens mij maak ik tijdens die bevalling mijn omgeving niet zo mee.' Beatrijs Smulders meent dat een geboortecentrum of kraamkliniek niet zo'n slechte ontwikkeling is. 'Het is een *go-between*, zeker voor allochtone vrouwen die niet naar het ziekenhuis willen maar ook liever niet thuis.' Maar het idee dat het een verplaatste thuisbevalling zou zijn gooit ze regelrecht in de prullenmand. 'Verloskundig centrum of ziekenhuiskamer, 't is mij om het even. Het is een situatie waar de vrouw niet thuis is, waar ze zich toch aanpast aan de regels aldaar. Al is het nog zo'n mooi behangetje of kopje thee dat op tafel staat, het blijft niet haar huis. Want dat is nu net de essentie van het thuis bevallen. Waar je werkelijk thuis bent voel je je veilig en daarom krijg je dáár de effectiefste weeën, die weer de beste garantie vormen voor een bevalling zonder complicaties. De reden waarom ze het zo "huiselijk" maken heeft dan ook voornamelijk een commerciële achtergrond,' vindt Smulders.

'Bovendien,' meent ze, 'hoe dichter bij het ziekenhuis, hoe meer ingrepen. Verloskunde is een superzwaar vak. Voor de vroedvrouw is het gemakkelijker te verwijzen naar de gynaecoloog als je toch al in het ziekenhuis bent. Als je al drie bevallingen achter de rug hebt en je hebt er een die niet zo goed vlot, denk je eerder: laat de gynaecoloog het maar afmaken.' Om dezelfde reden is Kraamhotel De Meiboom, zegt manager Connie Schellekens, geen onderdeel van het ziekenhuis, maar staat het er letterlijk los van. 'In een ziekenhuis ben je toch meer een patiënt. Hier kijken we naar een zwangerschap als iets natuurlijks. Ook al is het nog zo weinig, die fysieke afstand is belangrijk.'

## Onzin

Er zijn zwangeren die niets zien in een 'verplaatste thuisbevalling'. Guiguette is 22 en hoogzwanger. Ze is met haar moeder naar een voorlichtingsavond van het Westeinde Ziekenhuis in Den Haag gekomen. Daar doet ook Geboortekliniek Den Haag uit de doeken hoe er bij hen bevallen wordt. Guiguette wil er in ieder geval niet naartoe. 'Daar kunnen ze me niet veel meer bieden dan thuis. Misschien word ik medisch of wil ik een ruggeprik en dan moet je vanuit die geboortekliniek alsnog verplaatst worden. In het ziekenhuis ben ik er alvast.'

### Goed om te weten!
#### Pijnstilling in het kraamhotel?

In eerstelijns klinieken wordt geen medicamenteuze pijnstilling gegeven of een ruggeprik. Als je die wilt moet je onder verantwoordelijkheid van een gynaecoloog in het ziekenhuis bevallen.

#### Hoeveel uren kraamzorg?

Wettelijk heb je recht op een minimum van 24 uren kraamzorg. De kraamzorginstelling bekijkt tijdens een huisbezoek, op basis van je gezins- en medische situatie hoeveel uren jij krijgt. Dit wordt vastgesteld volgens regels die vastgelegd zijn in het Landelijke Indicatie Protocol. Gemiddeld is dat 49 uur, verdeeld over acht dagen. Het aantal uren partusassistentie staat daar los van. Als je na de bevalling meer zorg nodig hebt dan aanvankelijk gedacht, wordt er een nieuwe indicatie gesteld door je verloskundige. Het maximum aantal uren kraamzorg is tachtig uur, verdeeld over tien dagen.

# In het verloskundig centrum

Zaterdag 16.00. Het is rustig in de teamkamer van het Utrechts Verloskundig Centrum. Door de schuifdeur kun je een glimp zien van de gang, waarop de zalen voor de kraamvrouwen en verloskamers uitkomen. In de teamkamer staan twee felrode stoffen zitbankjes en een vierkante salontafel met stroopwafels en chocoladebonbons. Tegen de witte muur hangt een groot whiteboard met de nummers van de kamers. Het zijn er tien in totaal: drie verloskamers, een kraamzaal en zes kraamkamers. Erachter, geschreven met rood of zwarte stift, de naam van de vrouw die er ligt en de naam van de kraamverzorgende die voor de kamer verantwoordelijk is.

Verloskundige Ilanit Overbeeke heeft dienst samen met drie kraamverzorgenden: Tea, Fabiënne en Tiny. Ilanit — een jonge dertiger, felrode lippen en hoge laarzen onder een rok — trekt haar witte dienstjas aan. Ze legt me uit wat er 'ligt': in kamer vijf is mevrouw M. net bevallen. Ze is er met haar eigen verloskundige. Op de kraamzaal — met vier bedden — heeft een mevrouw het rijk alleen. Ze is vanochtend bevallen van een gezonde zoon. Op kamer twee ligt een kraamvrouw van wie het kind erg ziek is. Dat ligt op het NICU (Neonatale Intensive Care Unit), de afdeling achter de grote klapdeuren. Op kamer acht slapen een mevrouw en haar echtgenoot. Zij heeft vannacht een zware bevalling gehad. Normaliter is er geen bed voor de man. Maar het was vannacht niet zo druk.

Ilanit wijst op een bouwtekening aan de muur. Er is op deze afdeling een speciale reanimatieplek voor het kind. Maar bij minder urgente complicaties moeten vrouwen in de lift naar de medische afdeling op de tweede etage. Ilanit: 'We hopen over een jaar een geïntegreerde afdeling te hebben, zodat de apparaten en de gynaecoloog naar de zwangere toekomen.'

17.00 uur. Mevrouw S. komt binnen met weeën. Een eerste kind. Ze gaat bevallen in verloskamer drie met haar eigen verloskundige. Kraamverzorgster Tiny assisteert. De ontsluiting vlot echter niet erg. En half uur later vertelt haar verloskundige — ik noem haar Ilse omdat ze liever niet met haar echte naam in het boek wil — dat haar cliënt deze ochtend om vijf

94

uur al twee centimeter ontsluiting had. Maar 's middags om vier uur was dat niet meer dan vijf centimeter. 'Ik zag aan haar ogen dat ze bang was,' zegt Ilse. 'Ze wilde thuis, maar het ging zo langzaam. Toen ben ik over het ziekenhuis en pijnbestrijding begonnen.' Vlug voegt ze eraan toe: 'Dat doe ik meestal niet zo snel, hoor.' Ze schudt haar hoofd. 'Maar dit kan nog heel lang duren, de weeën zijn niet echt sterk.'

19.00 uur. Ilanit wordt geroepen door Fabiënne. Op kraamkamer zeven ligt een jongetje dat geel ziet. 'Het is een vleugje, maar je weet nooit.' Ook Tea wil Ilanits aandacht. 'Haar' kraamvrouw heeft een hechting die misschien ontstoken is.

20.00 uur. Ilse is weer terug uit verloskamer drie. Pareltjes zweet glimmen op haar voorhoofd. De barende heeft acht centimeter ontsluiting, maar de weeën zijn nog steeds zwak. De vroedvrouw balt haar vuist. 'Die moeten echt heel fel en hard zijn, anders...' Ze maakt haar zin niet af omdat de telefoon gaat: een cliënte die thuis wil bevallen. Ze aarzelt en vraagt zich even af wat ze zal doen. Haar achterwacht heeft drie kinderen thuis plus een logeetje. Opa kan wel oppassen, maar liever niet de hele nacht. Ilse besluit toch haar collega te bellen. En ze hakt meteen een andere knoop door. Als mevrouw S. over twee uur niet meer centimeters ontsluiting heeft, gaat ze naar beneden voor bijstimulering. Kraamverzorgende Tiny kijkt zorgelijk. 'Dat wordt dan misschien een sectio. Zonde, hoor.'

21.15 uur. Ilanit wordt gebeld. Een mevrouw die drie dagen geleden bevallen is, heeft verhoging; ze heeft 38 graden. De verloskundige vraagt of ze even langs kan komen in het UVC.

21.30 uur. Ilse heeft besloten tot bijstimulering. 'Even een snuffie,' zoals Tiny het in UVC-jargon verduidelijkt. Indicatie: niet vorderende ontsluiting. De vrouw gaat op haar bed de lift in naar de tweede etage. Tiny gaat mee.

22.00 uur. Er komt een vrouw van de medische afdeling op een van de UVC-kamers kramen. Fabiënne en Tea halen haar op. Als ze daarna de teamkamer binnenkomen zijn ze van slag. Het gaat niet goed met haar kindje; de baby is erg ziek en ligt op het NICU. 'Hè, verdorie,' zegt Tea. Het is even stil in de teamkamer.

Een uurtje later komt de nachtploeg. Ik ga thuis slapen.

### Twee weken later. Maandag

9.30 uur. Verloskundige Xandra Verhoeven — strakke spijker-broek, puntlaarzen en blouse: 'zo'n witte jas doe ik niet aan, hoor' — krijgt telefoon. Een mevrouw heeft pijn, maar is pas 39 weken zwanger. Misschien voorweeën? 'Houd even vol,' zegt Xandra. 'En als je nu echt tegen het plafond zit kunnen we naar sedatie kijken.' Kraamverzorgende Sonja kijkt om de hoek van de schuifdeur. Bij 'haar kraamvrouw' wil de borstvoe-ding niet zo lukken. 'Wat doen we: flesvoeding?' 'Nee,' zegt Xandra. 'Bel even de lactatiekundige.'

10.15 uur. Drie van de vier kraamverzorgsters drinken koffie. Ze hebben een drukke ochtend; wassen, aanleggen, katheteri-seren. De kraamkamers liggen vol. Een arts van beneden schuift de deur open. 'Ik zoek het dossier van mevrouw N., ge-boren in 1993.' De kraamverzorgsters halen verbaasd hun lip-pen van hun koffiekopjes. 'Tsjonge,' zegt er een. 'Mijn broertje is ook vijftien.'

Xandra moet naar het 'grote overleg'. 'Daar spreken we met de gynaecologen alle bevallingen van het afgelopen weekend door.' Het was met vier bevallingen redelijk druk. Xandra heeft zaterdagnacht een 'heel mooie' begeleid. 'Die mevrouw was heel angstig, maar uiteindelijk ging het toch bijna vanzelf.'

Steffie assisteerde gisteren bij een minder gemakkelijke bevalling. 'Het kind kwam er niet uit. We hebben geduwd en een knip gezet maar niets. En toen het kwam, ging er meteen een hele golf meconium mee. Gelukkig was het kerngezond.'

14.15 uur. Xandra's telefoon gaat. Een Duitse mevrouw die net zwanger is. Of ze in het UVC een epiduraal kan krijgen. 'Jawel,' zegt Xandra, 'maar dan moet je bij ons ook de controles doen. Kom anders naar onze infomarkt. Kun je daarna altijd nog beslissen.'

16.00 uur. Een Marokkaanse man belt. Zijn vrouw heeft 'pijn in buik.' 'Is er al water,' vraagt Xandra. 'Nog niet.' 'Om de hoeveel minuten heeft uw vrouw een wee?' 'Tien minuten.' Xandra zegt dat ze over een uur maar even langs moeten komen. Ik veer op. Misschien mag ik erbij zijn.

Anderhalf uur later zit ik thuis. Xandra's dienst zat erop en een nieuwe verloskundige heeft het overgenomen. Na twee uur nagelbijten bel ik haar op. 'Ze is er nog niet, hoor,' zegt de nieuwe verloskundige. 'Wie, het kind?' 'Nee, de mevrouw.' De verloskundige belooft me te bellen als ik erbij mag zijn. Mijn mobieltje zwijgt de hele nacht.

### Een modelbevalling

Op een zondagmiddag rond 17.00 uur belt verloskundige Xandra Verhoeven. 'Ik heb een "priem" met vier centimeter. Je mag erbij zijn.' Als ik aankom blijkt het om een Marokkaans meisje te gaan van begin twintig. De vader is ook van Marokkaanse afkomst. Hij heeft nog twee dochters uit een eerder huwelijk en die rijdt hij nu naar familie in Noord-Brabant. Hij zou rond half zeven weer terug zijn. We gaan de verloskamer binnen. Op het hoge bed ligt Hadjar. Haar dikke zwarte krullen, die zo even nog onder een hoofddoek schuilgingen, liggen als een krans op het hoofdkussen. Ze kreunt en roept: 'Ajajajaj, ik heb pijn, pijn. Ik wil dit niet.' Op de rand van haar bed zit een studente verloskunde die haar zacht toespreekt. Op een stoel naast het bed zit een vriendin die de woorden die Hadjar niet begrijpt vertaalt naar het Berbers. Xandra gaat aan de andere kant op het bed zitten, pakt Hadjars hand en zegt: 'Nog even. Je bent er zo.' Ze wijst naar ons. 'Kijk, allemaal moeders om je heen. Wij wilden die pijn ook niet, hoor. Maar je krijgt er wel kinderen van.' Hadjar laat een vage glimlach zien. 'Maar je man moet er wel bij, toch? Die komt er zo aan.' De studente verloskunde toucheert. Ze schat zes centimeter.

Ik ga in de teamkamer zitten. Dit kan nog lang duren. Na een uur schuift de kraamverzorgende de deur open: 'Ze heeft volledige ontsluiting.' In de verloskamer ligt Hadjar met haar ogen dicht. Manlief is nergens te bekennen. Xandra wisselt een blik met de kraamverzorgster. 'Wat doen we: vader mobiel bellen?' De kraamverzorgster twijfelt. 'Dan gaat hij misschien heel hard rijden.' Xandra richt zich op Hadjar: 'Wil je dat we hem bellen?' Hadjar lijkt het allemaal niet meer mee te maken. Haar gezicht is bezweet. Zacht zegt ze: 'Ja, doe maar.'

De kraamverzorgster gaat de gang op, komt terug: 'Hij is negen kilometer hier vandaan.' Xandra: 'Bel even de beveiliging zodat die man meteen doorkan zonder te parkeren, anders redt hij het niet.' En tegen Hadjar: 'Hij komt zo, hoor.' Het meisje rolt met haar ogen, zakt moe weg in de kussens. Ze vangt een perswee op – stilte – en nog een. Dan, hijgend, stormt haar man binnen en gaat op een stoel naast zijn vrouw zitten. Hadjar perst nog een keer, maar is doodmoe en laat haar hoofd naar achteren vallen. Haar man fluistert in het Berbers wat in het oor. 'Wat zeg je?' vraagt Xandra. 'Dat ze haar hoofd op haar kin moet houden.' Na nog een wee komt er een plukje zwart donzig haar tevoorschijn. Xandra legt het zacht huilende jongetje op Hadjars borst en vraagt aan haar man of hij de navelstreng wil doorknippen. Dat doet hij liever niet. Xandra richt zich tot Hadjar: 'Wil jij het doen?' Ja, dat wil ze wel. Met een licht trillende hand – haar kind op haar buik – zet ze de schaar in het stugge vlees. De kraamverzorgster injecteert Hadjars bovenbeen om de placenta sneller te laten komen. Hadjar perst op haar laatste krachten een flinke placenta naar buiten. De vader is door het dolle. Hij kust zijn vrouw en kind en rent de gang op met opgeheven armen. 'Het is er,' roept hij. Xandra schrijft later in het partusverslag: prachtige fysiologische partus.

De naam Hadjar is gefingeerd.

# 8.

## In smart zult gij baren

*Over pijnbestrijding thuis en in het ziekenhuis*

Voordat Margot – die haar echte naam liever niet wil noemen – in het voorjaar van 2008 beviel, had ze bij haar verloskundige aangegeven eventueel pijnstilling te willen, als dat nodig mocht te zijn. 'Mijn verloskundige zei toen: "Nee, in onze calvinistische cultuur doen we dat nog niet." En ik dacht, ach, als het echt nodig is, geven ze het toch wel.' Margot kreeg al vrij snel volledige ontsluiting, maar de vliezen braken maar niet. 'Ik vroeg aan de verloskundige of ik pijnstilling mocht, maar ze zei "nee" zonder uit te leggen waarom niet. Een uur later vroeg ik het nog een keer. Toen werd ze boos, alsof ze vond dat ik me aanstelde. Ze zei: "Ik krijg grijze haren van jou".'
Toen ze Margots vliezen doorprikte, bleek dat het kind in het vruchtwater had gepoept. Eenmaal in het ziekenhuis had Margot geen persdrang. 'Twee uur lang heb ik daar gelegen en geprobeerd de pijn op te vangen. Ik vroeg om pijnbestrijding maar kreeg die niet. En wat erger was: niemand legde me uit waarom niet.' Uiteindelijk duwden er vijf mensen op haar buik. 'Zo is mijn dochtertje dan toch geboren.' Na de bevalling probeerde Margot erover te praten met de desbetreffende verloskundige. '"Het was wel heftig," begon ik. Toen zei ze: "Welnee, je hebt een gewone bevalling gehad".'

## Cijfers & Onderzoek

••• ••• ••• ••• ••• •••

In maart 2006 is in opdracht van het maandblad *Kinderen* een enquête gehouden over de verloskundige zorg in Nederland. 1053 vrouwen deden mee. Uit deze enquête bleek het volgende over bevalling en pijn:
- 25 procent vond de bevalling niet (erg) pijnlijk
- 25 procent vond het wel pijnlijk
- 32 procent zat tussen deze beide in
- 18 procent vond het heel pijnlijk

Vrouwen die bevielen van een eerste kind maakten meer gebruik van pijnstilling dan multiparae.[11]

# Is pijn noodzakelijk?

De dominerende opvatting van verloskundig Nederland was jarenlang: pijn is noodzakelijk en een prik geef je enkel als er medische redenen voor zijn. In het mateloos populaire boek *Bevallen en Opstaan* – dat vooral in de jaren tachtig veel gelezen werd – houden de auteurs een pleidooi tegen de pijnbestrijding met anesthesie. Die zou er namelijk te vaak voor zorgen dat barende vrouwen zich 'volledig uitgeschakeld' voelden tijdens de baring. In *Veilig bevallen* van Beatrijs Smulders en Mariël Croon, dat voor het eerst verscheen in 1996, doen de twee verloskundigen verslag van het nut van baringspijn. Pijn heeft in de eerste plaats een signaalfunctie. 'Wanneer die pijn er niet zou zijn, zou een kind zomaar voor de kassa bij Albert Heijn op de grond kunnen kletteren.' Pijn hoort bij de voortgang van de baring: 'Je kunt niet zomaar de pijn weghalen uit een normaal en gezond proces en dan denken dat je alleen het gezonde proces – zonder pijn –

overhoudt.' Pijn zorgt dat je gefocust bent op het baren van je kind. 'De pijn is als een soort poort, waardoor je het moederschap binnengaat.' Bovendien brengt baringspijn de productie van endorfine op gang: het gelukshormoon. Zonder pijn geen endorfine. En als die pijn bij voorbaat wordt weggenomen, zijn ook het geluksgevoel en de euforie naderhand minder groot, aldus de auteurs. 'In plaats van een piek in het leven wordt het dan een meer vlakke, gelijkmatige gebeurtenis, zo is onze ervaring.'

Veel vrouwen waren het met deze visie eens. Ze wilden geen ruggeprik, omdat volgens hen een bevalling 'iets natuurlijks is, iets oers dat ze in alle hevigheid bewust wilden meemaken.' Maar de groep die hier geen boodschap aan had, roerde zich in de laatste tien, vijftien jaar expliciter. Ze dachten als journaliste en moeder Esther, die bij de bevalling van haar eerste kind in 2003 met een weeënstorm in het ziekenhuis had gelegen, gegild had om pijnbestrijding en het niet had gekregen. Na deze gebeurtenis vroeg ze zich op haar weblog www.webbles.eu af 'waarom Nederland zo onderhand het enige westerse land ter wereld is waar zo hard tegen die ruggeprik gestreden wordt. Vooral door mensen uit de baar-beroepsgroep. Is de verloskundige bang haar baan kwijt te raken aan een prik?' vroeg ze zich af. 'Is het Calvijn; moet er nog steeds geleden worden om iets moois op de wereld te kunnen zetten? Of is het die Nederlandse betutteling? Want vrouwen hebben *niet* de beschikking over alle middelen en dus ook niet over hun lichaam. Zij worden niet serieus genomen in hun pijnbeleving en worden ongevraagd 'behoed' voor soms zeer noodzakelijke middelen als een narcose via de rug (...).'

# Nieuwe richtlijn

Sinds november 2008 is er een officiële richtlijn, waarin gynaecologen, verloskundigen en anesthesisten afspraken dat barenden erop kunnen vertrouwen dat er 24 uur per dag pijnstilling
beschikbaar is en dat zij zelf mogen bepalen wanneer zij dit nodig hebben. Vrouwen zijn er blij mee. Niet zozeer omdat ze tot
elke prijs een prik willen, maar omdat ze zo de zekerheid hebben
dat als ze pijnstilling nodig hebben, ze die ook krijgen. Of zoals
de zwangere Maaike zegt: 'Ik wil het niet per se gebruiken, maar
het geeft een geruststellend gevoel dat het er is als ik het nodig
mocht hebben.'
Ook verloskundigen en gynaecologen verwelkomden de richtlijn.
Ellen Everhardt, voorzitter van de NVOG: 'Het is vanzelfsprekend
en noodzakelijk dat pijnstilling tijdens de bevalling mogelijk is.
Bevallen is een graadje erger dan een behandeling bij de tand-
arts, dus als iemand aangeeft het niet aan te kunnen mag jij als
zorgverlener – terwijl je die pijn zelf niet voelt – niet zeggen dat
het wel meevalt. Je moet de barende wel serieus nemen.' En ook
Angela Verbeeten, vicevoorzitster van de KNOV, was er verheugd
over, hoewel volgens haar de helft van de Nederlandse verloskundigenpraktijken al jaren met deze richtlijn werkte. En voor
verloskundigen als Petra Blokker is de mogelijkheid van pijnstilling een uitkomst als de bevalling niet vordert of te lang duurt.
'Op die manier bouw je rust in zodat de vrouw meestal zelf haar
kindje eruit kan duwen.'
Mieke beviel in februari 2009 van haar eerste kind. Ze was in
eerste instantie niet van plan een ruggeprik te laten zetten. 'Ik
dacht dat je dan als een soort aangespoelde walvis in bed belandt
en niets meer voelt.' Maar ze had zulke langdurige en hevige
weeën dat haar vroedvrouw aanraadde het wel te doen. Ze is er

blij mee. 'Ik kon alles nog prima voelen en bewegen, maar het venijn was er af. Ik kon de weeën goed opvangen en het gaf me een paar uur de tijd om bij te komen en energie op te doen voor de persfase. Overigens nam de pijn tegen de persfase gewoon heftig toe en heb ik mijn dochtertje er in dertien minuten uitgeperst.'

### Cijfers & Onderzoek

Zwangeren die worden ingeleid hebben meer behoefte aan pijnstilling dan vrouwen bij wie de bevalling spontaan op gang komt.[12]

## Uiterste noodzaak

Toch omarmt de 'baar-beroepsgroep' de ruggeprik en andere medicamenteuze pijnstilling niet zonder meer. Vooral verloskundigen blijven vaak bij het standpunt dat je een ruggeprik alleen in uiterste noodzaak moet gebruiken en dat je eerst andere middelen van 'pijnstilling' uit de kast moet halen, zoals massage, een goede voorbereiding door op de juiste wijze te leren puffen, weten welke houding je aan kunt nemen. En vooral een deskundige – de vroedvrouw of kraamverzorgende – die je door de bevalling coacht, die erbij blijft, je ondersteunt en lief is. Dit kan een hoop pijn wegnemen (zie ook hoofdstuk 11). Het gaat immers vaak niet om de pijn zelf, maar om de beleving ervan. Uit onder meer onderzoek van TNO blijkt dat als de aanstaande moeder het gevoel heeft controle te behouden over het proces, pijnbestrijding een veel kleinere rol speelt. Belangrijk is ook dat de barende weet dat door de pijn de ontsluiting opschiet. Verloskundige Petra Blokker: 'Als de ontsluiting opschiet is pijn beter te "handelen", anders is het soms echt niet te doen.'

## Cijfers & Onderzoek

· · · · · · · · · · · · · · · · ·

### Happy pain

Volgens een groot Brits onderzoek uit 2008 heeft de wijze waarop vrouwen tegen bevallen aankijken invloed op hun pijnbeleving. Veel zwangeren zouden baringspijn onderschatten, vooral als ze een eerste kind verwachten. Een realistische kijk op baringspijn helpt de pijn aan te kunnen. Eén vrouw beschreef de pijn als volgt: '*I think it's a happy pain, though its hell.*' Pijn wordt draaglijker als zwangeren goed voorbereid zijn en zij de handvatten krijgen om controle te houden over het proces.[13]

# Terughoudend

Nederlandse vrouwen zijn – nog – niet massaal overgegaan op de ruggeprik. Er zijn verschillende redenen te geven voor die terughoudendheid. Een ervan is dat vrouwen die thuis willen bevallen, het zonder epidurale moeten doen, want die kan thuis niet gegeven worden. Die groep zal dus niet bij voorbaat voor een ruggeprik kiezen. Daarnaast menen best wat barenden dat ze het wel aankunnen, die weeën. Even de kiezen op elkaar en je hebt een kind. 'Het doet pijn, maar het is toch echt zo dat je het weer vergeet,' zegt Emmelin, die drie kinderen kreeg. En een deel waagt zich er niet aan vanwege de risico's, al zijn die nog zo klein (zie het overzicht op pag. 111 e.v.). Margot: 'Als het kon wilde ik het liefst zonder, want ik had gelezen dat er ook nadelen aan zitten.'

## Geen wondermiddel

Dikwijls kennen vrouwen die nadelen echter niet. Bij een ruggeprik gaat het meestal goed. Maar soms kan het fout gaan. Tynke beviel in maart 2008 van haar eerste kind. De bevalling duurde heel lang en Tynke had erg veel pijn. Ze kreeg echter geen ontsluiting. De verloskundige vertrouwde het niet en besloot Tynke naar het ziekenhuis te sturen voor een controle. Daar besloten ze haar te houden. Na uren van pijn, wilde Tynke graag een ruggeprik, ze was uitgeput en de pijn was niet te harden, maar dat kon niet. Tynke: 'Je moet minimaal anderhalve centimeter ontsluiting hebben, zodat ze een antenne op het hoofdje van het kindje kunnen plaatsen om het hartje te monitoren. Na 22 uur had ik eindelijk één centimeter. Toen pas konden ze het kind aan het ctg leggen en mij een ruggeprik geven.' Dat ging niet goed. 'De hartslag van mijn zoon daalde plotseling van 150 naar 50. Ik moest op mijn knieën gaan zitten, om het kindje meer ruimte te geven. Ik ben zo op de brancard naar de ok gereden.' Haar zoontje werd met een keizersnede gehaald. 'We hebben echt mazzel gehad.'

## Niet overal voorhanden

Ondanks de richtlijn is het niet zo dat je in elk ziekenhuis pijnbestrijding kunt krijgen. Zeker 's nachts en in het weekend waren er in het voorjaar van 2009 in nog maar zestig procent van de ziekenhuizen 's nachts anesthesisten aanwezig. En mocht er een anesthesist zijn, dan nog is het lang niet altijd mogelijk op het moment dat jij wilt een ruggeprik te zetten. Allereerst moeten de artsen er zeker van zijn dat het goed gaat met je kind. Als ze je kind niet goed kunnen monitoren, wordt er meestal geen ruggeprik gezet. Dikwijls krijg je geen epiduraal meer als je al bijna volledige ontsluiting hebt. In Nederland wordt ervan uitgegaan dat je dan niet meer actief – en dus niet meer goed – kunt persen. Voor sommige vrouwen is dat een hevige teleurstelling. Want juist die laatste paar centimeters zijn uitputtend en vaak de meest pijnlijke van het hele traject.

Pijnbestrijding bij een tweede of derde kind is ook lang niet altijd gegarandeerd. 'Je moet van goeden huize komen om bij een tweede of derde een ruggeprik te krijgen,' zegt Rebekka Visser van verloskundigenpraktijk Eva. Voor een prik moet je kind een half uur gemonitord worden en in de praktijk wordt een prik niet meer na zeven centimeter ontsluiting gegeven. 'Bij een "mult" kan het razendsnel gaan. Menig anesthesist ziet er dan geen heil meer in om een prik te zetten.' Overigens wijst Visser op het belang van continue begeleiding: 'Ik ben ervan overtuigd dat in *de meeste gevallen* continu support voor een barende voldoende is om ervoor te zorgen dat de laatste heftige centimeters ondanks de pijn niet traumatisch zijn.'

## Prik of zelf doen?

Naast de ruggeprik zijn er andere vormen van medicamenteuze pijnbestrijding mogelijk (zie het kader op pag. 111 e.v.). Maar je kunt niet in elke ziekenhuis elke vorm van pijnbestrijding krijgen.

## Goed om te weten!

### Sedatie

Er is verschil tussen daadwerkelijke pijnstilling tijdens de bevalling en 'sedatie'. Daarbij wordt een pijnstiller (meestal pethidine) gecombineerd met een slaapmiddel en via een injectie gegeven. Je bent dan meestal nog niet echt aan het bevallen, maar hebt bijvoorbeeld last van voorweeën of harde buiken. Sedatie helpt om een nacht goed te slapen.

Omstreden is bijvoorbeeld het middel remifentanil PCA (patient controlled analgesia), waarbij de barende zichzelf met een druk-knop pijnstilling kan toedienen. Vrouwen die het gebruikten zijn dikwijls laaiend enthousiast, maar artsen in academische ziekenhuizen gebruiken het medicijn niet. Het zou gevaarlijke bijwerkingen hebben, zoals ademhalingsproblemen bij de moeder. Die kunnen zelfs levensbedreigend zijn en daarom mag remifentanil enkel toegepast worden in verloskamers waar apparatuur staat voor het monitoren van de ademhalingsfuncties, maar daaraan voldoet de gemiddelde verloskamer niet. Bovendien zou remifentanil alleen toegediend mogen worden door personen die specifiek hiertoe zijn opgeleid. En ook dat zou lang niet altijd gebeuren.

Maar gynaecologe Gunilla Kleiverda van het Flevoziekenhuis in Almere biedt het al geruime tijd aan. 'Gevaarlijk? Nee hoor, als de personen die het toedienen maar goed zijn getraind. Remifentanil gebruik je in de periode waar artsen vroeger pethidine gaven, maar daar gingen vrouwen redelijk out van. Bij remifentanil blijven barenden erbij, maar het neemt de ergste pijn weg en ze kunnen ontspannen. Ik vind het een prachtig middel.'

## Niet meer thuis

Hoe dan ook, als je kiest voor medicamenteuze pijnstilling, kun je een bevalling thuis wel vergeten. Je bent dan een zwangere met een groter risico op complicaties en dus is de gynaecoloog eindverantwoordelijk. Sommige vrouwen vinden dat jammer. Esther had heel graag thuis haar kind gekregen. 'Daar heb je een rustige omgeving en persoonlijke aandacht van je verloskundige. Maar ik had ook heel veel pijn. Het allermooiste zou zijn als je thuis effectieve pijnstilling zou krijgen.'

• • • • • • • • • • • • • • • • • • • • • • • • • • • • • • • • •

### TENS

GeboorteTENS (Transcutane Elektrische Neuro Stimulatie) is een plaatje met elektroden dat op je ruggewervel wordt geplaatst en dat kleine stroomstootjes geeft. Je bepaalt zelf hoe sterk die zijn. De pijn zou tot 50 procent verminderen. Deze geboorteTENS wordt vergoed door verschillende verzekeraars. Je kunt het thuis gebruiken. Het is echter nooit wetenschappelijk bewezen dat TENS werkt.

De KNOV startte in 2009 een onderzoek naar de mogelijkheden voor het gebruik van entonox, een mengsel van lachgas en zuurstof. Thuis. Entonox is echter omstreden. Decennialang werd het gebruikt in de ziekenhuizen. Totdat bleek dat enkele verpleegkundigen die ermee werkten, kinderen kregen met aangeboren afwijkingen. Mogelijk was lachgas de oorzaak van de handicaps, want uit dierproeven bleek dat entonox schadelijk kon zijn als je het tijdens de vroege zwangerschap in hoge concentraties inademde. Alle ziekenhuizen in Nederland stopten met het aanbieden ervan.

'De schrik is begrijpelijk,' meent Pien Offerhaus, wetenschappelijke medewerker bij de KNOV. 'Maar dat wil niet zeggen dat het middel zelf niet goed werkt. Voor de zwangere en het kind is het veilig. Bovendien wordt entonox in veel andere landen wel gebruikt. De terughoudendheid in Nederland heeft te maken met de schade voor degenen die het toedienen.' Volgens Offerhaus staan zorgverleners in de thuissituatie mogelijk niet aan hoge concentraties bloot. 'Maar dat moeten we wel eerst aannemelijk zien te maken.'

### Goed om te weten!

De KNOV geeft een brochure uit waar alle vormen van pijnstilling in beschreven staan. De brochure *Jouw bevalling: Hoe ga je om met pijn?* kun je bij je verloskundige krijgen.

## Voor en na: Sarah, zwanger van de eerste

### Voor:

'Mijn intentie is thuis, maar veel vriendinnen moesten halverwege naar het ziekenhuis en dat doet me twijfelen. Van vrouwen die kozen voor het ziekenhuis, hoor ik nooit: "Was ik maar niet gegaan." Die ontevredenheid hoor je wel van vrouwen die thuis wilden, maar niet konden.'

### Na:

'Ik kreeg een weeënstorm. Gruwelijk. Na bijna acht uur had ik 6,5 cm. Ik dacht: dit ga ik niet trekken. Toen zijn we naar het ziekenhuis gegaan voor pijnbestrijding. Ik moest eerst een half uur aan de monitor. Daarna checkten ze de ontsluiting: bijna volledig. Pijnbestrijding ging dus niet door. Dat was een bittere pil, had ik net zo goed thuis kunnen blijven. Na drie uur persen was ik op. Jesse was een "sterrenkijker"; hij keek met zijn hoofdje omhoog waardoor hij de laatste "bocht" lastig kon nemen. En oh ja, de navelstreng zat ook nog om zijn nek. Uiteindelijk kreeg ik een vacuüm. Jesse had op zijn buik een bultje. De kinderarts onderzocht hem, maar vond niets. Dat was een fijn gevoel. Alsof je naar huis gaat met het "keurmerk" gezond. In het ziekenhuis kunnen ze toch net iets meer dan thuis.'

## Middel    Ruggeprik

**Wat is het?**  Er zijn twee soorten ruggeprikken: epidurale anesthesie (ook wel peridurale analgesie genoemd) en spinale anesthesie. Van het laatste wordt gebruikgemaakt bij een keizersnede. Bij een 'epidurale' spuit de narcosearts via een dun slangetje (katheter) verdovingsvloeistof in de ruimte tussen de ruggewervels: de epidurale ruimte. Hier lopen zenuwen die pijnprikkels van de baarmoeder en de bekkenbodem vervoeren. Als deze zenuwen worden uitgeschakeld, voel je de pijn van de weeën niet meer. In deze ruimte lopen ook zenuwen die de spieren in het onderlichaam aansturen. Daarom krijg je na een ruggeprik minder gevoel in je benen en onderbuik. Gemiddeld duurt het vijf tot vijftien minuten voordat de prik werkt.

Omdat de bloeddruk niet te veel mag dalen, krijg je bij een ruggeprik eerst extra vocht via een infuus. Je polsslag, bloeddruk en de urineproductie in je bloed worden regelmatig gecontroleerd, soms met behulp van automatische bewakingsapparatuur. De harttonen van het kind worden gecontroleerd door middel van een ctg. Een ruggeprik wordt meestal niet meer gezet aan het einde van de ontsluiting, zodat je de persweeën voelt en je goed mee kunt persen.

**Voordelen**
- 95 procent van de vrouwen voelt helemaal geen pijn meer, hoewel in Nederland meestal voor het persen de toevoer gestopt wordt, zodat de pijn ineens heel heftig kan zijn.
- Je wordt er niet suf of slaperig van.
- Een ruggeprik heeft geen nadelen voor het kind of het geven van borstvoeding.

**Nadelen**
- Bij ongeveer vijf procent van de vrouwen geeft de prik onvoldoende resultaat. Soms is het nodig opnieuw te prikken.
- Je kunt er koorts van krijgen. Omdat artsen nooit zeker weten of die koorts komt van een ruggeprik of een infectie, geven ze bij koorts dikwijls antibiotica aan moeder en kind.
- Je bloeddruk kan dalen en daarmee verandert in een enkel geval de hartslag van je kind.
- Er is een – minimale – kans dat verdovingsvloeistoffen ongewild in bloedbaan of hersenvocht terechtkomen. In een dergelijk geval wordt de ademhaling moeilijker.
- Soms duurt het een tijdje voordat de spontane persdrang op gang komt. De uitdrijvingsfase kan hierdoor langer duren, waardoor de kans op een kunstverlossing groter is.
- Er is uitgebreide bewaking van moeder en kind nodig. Daardoor kun je niet meer rondlopen.

## Middel  Pethidine

**Wat is het?** Pethidine is een morfineachtig medicijn dat wordt gegeven via een injectie in je bil of bovenbeen. Na circa een kwartier voel je het effect.

**Voordelen**
- Sterk pijnstillend. Je kunt met pethidine zelfs even slapen. Pethidine werkt goed bij een 'valse start' of voorweeën.
- Pethidine kan verlichting geven als je wacht op een ruggeprik.
- Verkrijgbaar in bijna elk ziekenhuis.

**Nadelen**

*Voor de moeder*
- Mogelijke misselijkheid, hoofdpijn of duizeligheid.
- Slaperigheid. Sommige vrouwen hebben het gevoel dat zij een deel van de bevalling 'kwijt' zijn.
- Na een injectie mag je niet meer rondlopen.

*Voor het kind*
- Omdat pethidine door de placenta (moederkoek) heen gaat, komt het ook bij het kind terecht. Soms is daardoor het kind na de bevalling suf en heeft het problemen met goed doorademen.
- Pethidine wordt daarom niet meer aan het einde van de ontsluiting gegeven.

## Middel    Remifentanil

**Wat is het?**    Remifentanil is een snelwerkend en kortwerkend opiaat, dat wordt toegediend via een slangetje in je arm (infuus).

**Voordelen**
- Snelwerkend
- Zelfregulatie; bij remifentanil PCA (patient controlled analgesia) krijg je een pompje dat je zelf indrukt als de pijn te heftig wordt. Er zit wel een limiet aan.

**Nadelen**
- Mogelijke misselijkheid.
- Kans op ademhalingsproblemen bij de moeder.
- Niet verkrijgbaar in alle ziekenhuizen.

# 9.

# Meestal gaat het goed

*Over veiligheid en veilig voelen*

In de afgelopen jaren laaide er een felle strijd op tussen pro en anti-thuisbevallers, na cijfers uit de Europese Peristatonderzoeken I en II, waarbij respectievelijk de babysterftes uit het jaar 1999 en 2004 naast die van andere Europese landen waren gelegd. Het bleek dat wij het slechter deden dan de rest van Europa. In 2004 overleden 7 op de 1000 baby's in Nederland rondom de geboorte. Alleen Frankrijk had een hoger perinataal sterftecijfer.

## Cijfers & Onderzoek

● ● ● ● ● ● ● ● ● ● ● ● ● ● ● ●

### Foetale sterfte in Europa

In 2004 stierven er in Nederland 1273 op een totaal van 182.279 geborenen, gerekend vanaf 22 weken zwangerschap. Hiermee heeft Nederland na Frankrijk de hoogste foetale sterfte van 25 landen/regio's; 7,0 per 1000 geborenen. Gerekend vanaf 28 weken heeft Nederland een sterftecijfer van 4,3 per 1000. Dit is het hoogste na Frankrijk, Letland en Schotland. Ook gerekend vanaf 37 weken neemt Nederland met een cijfer van 2,1 per 1000 geborenen een hoge positie in. Alleen Letland en Denemarken scoren hoger.[14]

Er ging een schok door de samenleving. Want Nederland was toch zo'n veilig land? In de jaren zestig en zeventig hadden wij de laagste babysterfte. Wat was er aan de hand? Een paar gynaecologen wezen met een beschuldigende vinger naar de thuisbevalling. Die hogere sterftecijfers zouden daar best weleens mee te maken kunnen hebben. Verschillende hoogleraren en verloskundigen waren er als de kippen bij om te verklaren dat de thuisbevalling *niet* de oorzaak was. In de media kwam een fel dispuut op gang tussen pro- en anti-thuisbevallers. De grote middenmoot vroeg zich af of niet eerst gewacht moest worden op onderbouwing van die cijfers voordat er met modder werd gesmeten. Maar de toon was gezet. En er was onrust gezaaid. Ook zwangeren en hun partners kozen partij. Reacties op de studiecijfers gingen van: 'Ze willen ons de thuisbevalling afnemen en van die cijfers klopt geen moer' tot: 'De enige reden om niet in het ziekenhuis te bevallen is de ziekenhuisbacterie.'

### Wat is perinatale sterfte?

Van perinatale sterfte is sprake als een kind overlijdt na 22 weken zwangerschap en voor dag acht na de geboorte. De belangrijkste direct aanwijsbare oorzaken van perinatale sterfte zijn:

- aangeboren afwijkingen
- groeivertraging
- vroeggeboorte
- geboorte met zuurstoftekort

## Geen 'lootjes'

In de lente van 2009 verschenen de resultaten van een groot-scheeps onderzoek, dat deze onrust de kop indrukte. Uit dat onderzoek, geleid door TNO, blijkt dat thuis bevallen voor gezonde zwangeren net zo veilig is als een poliklinische bevalling. Al was er wel kritiek. Hoogleraar perinatale zorg en volksgezondheid aan het Erasmus MC Gouke Bonsel zegt juist te zijn 'opgeschoven' richting onveilig, omdat, zo meent hij, de onderzoeksresultaten indirect wel wezen op gevaren van thuisbevallen. 'Thuisbevallen is vooral populair onder goed opgeleide witte Nederlanders die niet in de grote stad wonen, in prettige rustige huizen in aangename buurten,' meent Bonsel. 'Dan heb je zes streepjes voor en begin je al beter aan de bevalling. Voor mij staat vast dat een zwangere die bij de eerste bevalling voor thuis kiest gemiddeld genomen gezonder is dan de zwangere die kiest voor poliklinisch of geen voorkeur heeft.' Maar, zo legt hij uit, dit 'gunstige risico-profiel' is maar voor een heel klein deel in de studie betrokken. Zou je dat wel doen, dan zou de thuisbevalgroep het qua veilig-heid veel beter moeten doen dan de poliklinische groep. Dat is niet het geval. Bonsel: 'Er wordt veel te gemakkelijk geconclu-deerd dat thuisbevallen even veilig is als poliklinisch.'
Om dat echt hard te maken is echter ander onderzoek nodig. Want je zou dan eigenlijk moeten kijken hoe de thuisbevallers het poliklinisch doen en omgekeerd. Maar dat laatste is eigenlijk niet na te gaan. Het onderzoek was niet gerandomiseerd; er waren geen 'lootjes' getrokken waarbij vrouwen willekeurig thuis ofwel in het ziekenhuis zouden bevallen, los van hun eigen wen-sen. Maar de onderzoekers wijzen erop dat randomiseren in de praktijk onmogelijk is. 'Eerdere pogingen strandden op een handjevol vrouwen dat deel wilde nemen,' zegt Ank de Jonge

van het TNO-onderzoek. 'Overigens hebben we in de analyses rekening gehouden met het verschil in kenmerken van vrouwen die thuis of in het ziekenhuis wilden bevallen. Dan nog zie je geen verschil.'

## Cijfers & Onderzoek

### TNO-onderzoek veiligheid thuis-ziekenhuis

In 2009 publiceerden onderzoekers van o.a. TNO Kwaliteit van Leven de resultaten van een studie onder alle Nederlandse laag-rsicovrouwen die bevielen tussen 1 januari 2000 en 31 december 2006 en die begeleid werden door een vroedvrouw. 60,7 procent wilde thuis bevallen, 30,8 procent koos voor het ziekenhuis of kraamhotel en 8,5 procent wist nog niet waar ze wilde bevallen. Gekeken werd naar babysterfte tijdens de bevalling en 24 uur na de bevalling. Er werden geen significante verschillen gevonden tussen thuis en ziekenhuis. Beide bleken even veilig.

Vrouwen die een laag risico hadden, maar begonnen bij de gynaecoloog, bijvoorbeeld omdat ze via ivf zwanger waren geraakt, werden niet opgenomen in de studie.[15]

# Andere verklaringen

Wat nu wel de precieze reden is voor die hogere perinatale sterfte, is nog niet duidelijk. Sommige onderzoekers schermen met de verschillende manier van registeren van perinatale sterfte. Die is in sommige landen anders. Maar los daarvan is er wel wat aan de

hand. Er sterven per jaar meer kinderen perinataal dan er slacht-
offers vallen in het verkeer. Dus wordt er naarstig gezocht naar
mogelijke verklaringen.

Nederlandse zwangeren zijn gemiddeld ouder dan die in andere
Europese landen. En hoe ouder je bent, hoe meer kans je maakt
op complicaties tijdens de bevalling. Dat zou volgens sommige
onderzoekers een reden zijn. Maar anderen wijzen erop dat het
juist die groep oudere zwangeren is die hoger opgeleid zijn en
beter in hun slappe was zitten en dus, hier in Nederland, vaak
ook gezonder zijn.

Zeker is wel dat roken kan leiden tot sterfte van je kind. En naar
schatting rookt 20 procent tijdens de zwangerschap gewoon
door. Een andere oorzaak kan de vrij grote hoeveelheid vrucht-
baarheidsbehandelingen (ivf) zijn, waardoor meer meerling-
zwangerschappen ontstaan en er meer kans is op sterfte.

Nederland is altijd terughoudend geweest met het aanbieden van
routineus prenataal onderzoek om afwijkingen op te sporen. Pas
sinds 2006 wordt dit hier aan alle zwangeren aangeboden. In de
jaren ervoor werd in de ons omringende landen eerder ontdekt
als een kind niet levensvatbaar of zwaar gehandicapt was. De
meeste zwangeren braken bij die diagnose hun zwangerschap af.
In Nederland bleven die baby's leven tot de bevalling, maar
overleden vaker tijdens of erna. En kwamen dus wel terecht in de
statistieken van Peristat.

Artsen in andere Europese landen houden te vroeg geboren baby's langer in leven. In Nederland krijgt een baby die voor 26
weken wordt geboren regelmatig geen actieve behandeling. Van
enige kwaliteit van leven is geen sprake, is de achterliggende gedachte. In een land als Italië worden baby's van 25 weken oud
wel in leven gehouden. Als ze daar dan toch een week na de geboorte overlijden vallen ze buiten de statistieken.

Cijfers & Onderzoek

● ● ● ● ● ● ● ● ● ● ● ● ● ● ● ● ● ●

**Perinatale sterfte en zwangerschapsduur**

In 2006 stierf het volgende percentage eenlingen:

22,0 tot 31,6 weken: 387,41 per 1000 geboorten

32,0 tot 36,6 weken: 22,74 per 1000

37,0 tot 41,6 weken: 2,92 per 1000

Meer dan 42 weken: 3,20 per 1000[16]

In 2006 was de sterfte van kinderen die thuis werden geboren 0,4 per 1000 geboorten, bij poliklinische geboortes 1,6, bij verwijzing tijdens de baring naar de gynaecoloog 2,7 en 4,5 per 1000 bij vrouwen die al tijdens de zwangerschap waren doorverwezen naar de gynaecoloog.[17]

# Migranten

De groep niet-westerse allochtone zwangeren is de afgelopen jaren fors gegroeid. Dat zou eveneens een oorzaak kunnen vormen voor de hogere sterftecijfers. Al uit gegevens van het Bureau voor de Statistiek over 1995-2000 bleek dat de perinatale en zuigelingensterfte tot 30 procent hoger was onder deze groep. Nietwesterse allochtone vrouwen hebben nogal eens een slechtere startpositie, doordat ze bijvoorbeeld vaker een hogere bloeddruk of meer aanleg voor (zwangerschaps)diabetes hebben. En die factoren verhogen de kansen op groeivertraging en vroeggeboorte: twee belangrijke oorzaken voor perinatale sterfte. Toch zijn er in Duitsland, Engeland en België minstens zoveel allochtonen. En epidemioloog en public health onderzoeker Gouke Bonsel, die onderzoek doet in Rotterdam, gemengde stad bij uitstek, wijst erop dat de uitkomsten van autochtone zwangeren in de zogenoemde krachtwijken zeker zo slecht zijn. 'Onveiligheid, fijnstof, stress in allerlei vormen, slechte werkomstandigheden en psychosociale problemen zijn factoren die in deze wijken veel vaker dan gemiddeld voorkomen. Tel het maar bij elkaar op: in zulke wijken loop je meer kans op een vroeggeboorte en doodgeboren kinderen.'

Wel kun je je afvragen of het Nederlands verloskundige systeem voldoende aansluit op de behoeften van niet-westerse allochtonen. Die match gaat in de praktijk nogal eens mis. 'Ze weten vaak niets van het systeem; ze hebben geen idee wat de eerste en wat de tweede lijn is,' zegt Bonsel. Misschien komen ze mede daardoor vaak (te) laat bij de verloskundige. Want terwijl Nederlandse en andere westerse vrouwen voor de veertiende week bij de verloskundige komen, heeft meer dan zeven procent van de Marokkaanse en acht procent van de Antilliaanse vrouwen zich in week 24 nog niet gemeld. Afrikaanse zwangeren komen nog later. 'Vaak laten ze zich pas bij zeven maanden controleren,' zegt Bonsel. Preventie en vroegtijdig ingrijpen kun je in zulke gevallen vergeten. Bonsel: 'Het gebruik van foliumzuur bijvoorbeeld – dat een open ruggetje bij je kind kan helpen voorkomen – is bijzonder laag onder migrantengroepen.'

Daarnaast zijn niet-westerse allochtonen vaak onbekend met het nut van kraamzorg. Ze vragen het thuis slechts aan voor een minimaal aantal uren, blijkt uit RIVM-onderzoek. Bonsel: 'Hier in Rotterdam heeft 85 procent geen of zeer beperkte kraamzorg. Dus wordt er ook niet gesignaleerd als het dreigt mis te gaan.' En dan zijn er de culturele verschillen. Verloskundige Michelle ten Berge werkt in Amsterdam en heeft veel Marokkaanse en Turkse vrouwen onder haar cliëntèle. Dat er meer baby- en moedersterfte bij die groep voorkomt, heeft volgens haar eveneens te maken met culturele patronen en – bij de eerste generatie allochtonen – met taalproblemen. 'Soms hebben vrouwen bijvoorbeeld bloedverlies of voelen de baby niet bewegen en dan wachten ze totdat hun man thuis komt, want *die* moet jou bellen.'

## Zuinig met testen en controles

Er zijn meer onderwerpen die roepen om onderzoek. In Nederland wordt veel minder getest en gecontroleerd dan in het buitenland. Terwijl een zwangere in Duitsland standaard getest wordt op streptokokken en toxoplasmose, gebeurt dat in Nederland niet standaard. Toch sterven er door een groep B-streptokok (GBS) jaarlijks vijftien tot twintig pasgeborenen. En houden minstens zoveel kinderen er een ernstige neurologische aandoening aan over. 'Een gemiste kans,' zo meent de Stichting Ouders van Groep B Streptokokken-patiënten. Als vrouwen tussen de 35e en 37e week van de zwangerschap standaard getest zouden worden, kun je de draagsters van de streptokok preventief een antibiotica-infuus geven tijdens de bevalling. In België, Amerika en Australië wordt dat al gedaan, maar hier niet.

De redenen hiervoor, zo melden onderzoekers, is dat het geen sinecure is om *alle* draagsters met zo'n test op te sporen. Slechts één op de vijf vrouwen krijg je ermee te 'pakken'. Je kunt de opgespoorde zwangeren vervolgens een infuus met antibiotica geven. Daarmee voorkom je ziekte en sterfte van een individueel kind, maar de vraag is wat dat veroorzaakt op lange termijn. Want het zou best eens kunnen dat die streptokok resistent wordt tegen de antibiotica en dan ben je nog verder van huis. 'Er bestaat tot op heden (2008) geen enkele goede gerandomiseerde studie die de (kosten-)effectiviteit van enige vorm van preventiebeleid overtuigend aantoont,' zo schrijft de NVOG (Nederlandse Vereniging voor Obstetrie en Gynaecologie) op haar site.

## Groeivertraging niet herkend

Circa eenderde van de perinatale sterfte is te verklaren door groeivertraging. Dat betekent dat de foetus kleiner is dan ze voor de duur van de zwangerschap moet zijn. De oorzaken zijn een niet goed doorbloede placenta, waardoor het kind te weinig 'voedsel' krijgt, een infectie door rode hond of toxoplasmose, veel roken of overmatig drugs- of alcoholgebruik. Uit onderzoek van gynaecologe Joke Bais van begin jaren negentig blijkt dat slechts de helft van die te kleine kinderen voor de geboorte opgemerkt wordt. Maar meer routine-echo's bij iedere zwangere baat niet, zo blijkt uit hetzelfde proefschrift. Er worden niet meer kinderen met groeivertraging mee opgespoord. Uit onderzoek blijkt dat er toch nogal eens sprake is van een te afwachtend beleid en niet adequaat handelen bij twijfel. Zorgverleners wijzen op de richtlijnen. Die geven in de praktijk te weinig handvatten om groeivertraging goed te kunnen ontdekken, zeker bij vrouwen met een laag risico. Hetzelfde geldt in het geval van een klacht van de moeder dat zij minder leven voelt. In de praktijk komt het inschatten van een groeivertraging of minder leven voelen dus op het conto van de betrokken verloskundige of gynaecoloog. 'Plus de mate van ongerustheid en vertrouwen bij de moeder,' zegt verloskundige Michelle ten Berge. 'Want juist omdat er weinig *evidence* is voor zowel het beleid van afwachten of extra onderzoek, is de intuïtie van de moeder erg belangrijk.'

**Doen!**

Heb je het gevoel dat er iets niet klopt, eis dan een goed
onderzoek.

## Over tijd

Onduidelijkheid is er eveneens als het gaat om serotiniteit, een
medische term voor 'over tijd zijn' of 'overdragen zijn'. Afgesproken is dat je na 42 weken bij de gynaecoloog moet bevallen,
want dan loop je een hoger risico op problemen bij het kind.
Maar er is verschil van mening over de tijd daarvoor. Sommige
praktijken sturen hun zwangeren bij 41 weken standaard door
naar een gynaecoloog voor een ctg en een echo. Er zijn er ook
die wachten tot week 42. Zoals de praktijk van Jelena. 'Toen ik
week 40 was gepasseerd leek het me normaal dat ik door een gynaecoloog gezien werd. Maar de verloskundige zei: "Dat is niet
nodig, dat doen we pas in week 42."' Jelena ging daarin mee en
werd in week 42 ingeleid in het ziekenhuis. Achteraf is ze er boos
om. 'Helemaal geen controles, dat vind ik echt laks. Na week 40
kan het tricky worden. Daar moet je op anticiperen.'
Ze krijgt bijval van Nederlandse gynaecologen. Gynaecologe
Gunilla Kleiverda van het Flevoziekenhuis in Almere vertelt dat
haar ziekenhuis met de verloskundigen in de regio de afspraak
heeft dat ze allemaal bij 41 weken op controle komen in het ziekenhuis. 'In de loop der jaren hebben we toch de nodige zwangeren gevonden waarbij het kind bij 41 weken niet in optimale
conditie was. Daar hebben we voor mijn gevoel ook zeker een
aantal sterftes mee voorkomen.' Gynaecoloog en professor in de
obstetrie Gerard Visser pleit er zelfs voor om al eerder dan 42
weken de bevalling op te wekken. 'Bij onze zuiderburen wordt

niemand meer serotien. Wij beginnen pas bij 42 weken in te grijpen, omdat we de bevalling zoveel mogelijk fysiologisch willen houden. Maar er zijn nogal wat aanwijzingen dat als je een weekje eerder gaat opwekken, dit levens van kinderen kan schelen.' De KNOV heeft zo haar twijfels. Want eerder inleiden zou best eens kunnen leiden tot meer kunstverlossingen en sectio's, meent vicevoorzitter Angela Verbeeten. Veel zwangeren zouden bovendien onrustig worden als ze naar de 'grens' van 42 weken gaan en nog niet bevallen zijn. 'Door deze onrust te beantwoorden met het stellen van een lagere grens verschuif je het probleem: een nog grotere groep wordt onrustig. Als vrouwen weten dat ze meestal het vlotst en het veiligst bevallen als de bevalling spontaan begint (óók tot 42 weken) willen veel vrouwen liever wachten.'

### Te lang wachten?

Ten tijde van het schrijven van dit boek liepen er veel onderzoeken naar de oorzaken van die perinatale sterfte. Uit de onderzoeken en perinatale audits die er al gedaan zijn, blijkt dat er in Nederland toch nogal eens te vaak te lang wordt afgewacht, zowel door verloskundigen als gynaecologen. Het idee daarachter is dat een spontane natuurlijke bevalling het beste is voor moeder en kind en dat je het aantal interventies zo laag mogelijk moet houden. Sommige gynaecologen menen echter dat juist vroeger ingrijpen uiteindelijk leidt tot minder schade bij de vrouw en tot minder perinatale sterfte. Dit zou blijken uit nieuwe onderzoeken.

**Goed om te weten!**

Volgens een NVOG-richtlijn mag je vragen om een inleiding
van de baring bij 41 weken. Het gros van de gynaecologen
zal geen redenen zien om het niet te doen.
Meer info: www.nvog.nl.

# Alertheid

Kortom: Nederland zet in op de alertheid en deskundigheid van
de eerste lijn. Maar voeren verloskundigen en huisartsen die
poortwachtersfunctie nog wel optimaal uit? De onderzoekers in
het TNO-onderzoek naar veiligheid wijzen er zelf op. Laag-risicovrouwen die thuis bevallen zouden nu net zo goed af zijn dan
vrouwen die in het ziekenhuis bevallen. Maar is dat ook zo als
vrouwen *niet* op tijd verwezen worden? Het lijkt een logische
vraag. Het verwijsbeleid is de crux van het Nederlands verloskundig systeem. Als het daar spaak loopt, gaat het aan de basis
al fout. Of in de woorden van professor Jos van Roosmalen: 'In
Nederland gaan we uit van de gezonde zwangere. En dat betekent dat je extra alert moet zijn op alles wat daarvan afwijkt, ook
al is het nog zo klein. Want als de verloskundige twijfelt en toch
vasthoudt aan de normale loop van de zwangerschap en bevalling is er een kans dat de zaak ontspoort en dat het misgaat.'
Maar wat is nu op tijd doorverwijzen? Daarover zijn wederom de
meningen verdeeld. Gynaecoloog en PSOL-promotor Paul Reuwer wijst op de hectische verkeerssituaties in de steden: 'Met al
die files en verkeersdrempels in vinexlocaties duurt het soms gewoon 45 minuten totdat je in het ziekenhuis bent. Als je dan laat
instuurt, is dat niet veilig.' Volgens arts-epidemioloog Gouke
Bonsel geeft dat late insturen zelfs een vertekend beeld van de

125

veiligheid van thuis bevallen. 'Verloskundigen verwijzen ook door als het kind (vrijwel) is overleden; de moeder bevalt dan in het ziekenhuis; deze sterfte komt voor rekening van de gynaecoloog. De huidige perinatale sterfte van (uiteindelijk) thuisbevallen zwangeren is 0,4 per 1000, wat onder andere daarom erg laag lijkt.' Maar verloskundigen wijzen erop dat gynaecologen opgeleid zijn om pathologie (ziektes en afwijkingen) te herkennen en dat zij juist te snel en te vroeg ingrijpen. Met alle gevolgen van dien. En dat dit een reden is om niet meteen voor elk wissewasje door te sturen naar het ziekenhuis. Bovendien horen zieke kinderen in het ziekenhuis en is het dus logisch dat het sterftepercentage daar hoger is.

## Doen!

### Laat je niet gek maken

Wat betekenen al die cijfers nu voor jou persoonlijk? Dat is een lastige vraag. Als je vier procent kans op een bepaalde complicatie maakt, heb je nog steeds 96 procent kans dat het goed gaat. Het gaat erom hoeveel vertrouwen je hebt: in jezelf, je lichaam, je partner, de verloskundige, het ziekenhuis en in het lot. En dat je bevalt waar jij je het veiligst voelt. Laat je daarbij niet gek maken door verhalen die niet gebaseerd zijn op feiten. Want nog altijd is het zo dat het meestal goed gaat. Van de ruim 181.000 kinderen die in 2006 werden geboren, kwamen er meer dan 179.000 *wel* levend ter wereld.

# Meer sterfte buiten kantooruren

Begin 2008 kwamen de professoren Gerard Visser en Eric Steegers met een geruchtmakend artikel in het tijdschrift *Medisch
Contact*. De perinatale sterfte in de ziekenhuizen zou 's nachts 23
procent hoger zijn dan overdag en in het weekend 7 procent hoger dan door de week. De redenen? Een tekort aan – deskundig –
personeel op de verloskundige afdelingen. Verloskundige Simone Valk kan erover meepraten. Ze vertelt van die keer dat ze met
een zwangere in het ziekenhuis kwam en de arts-assistent met
haar meeliep. 'Hij had zeven bevallingen gedaan. En loopt dan
's nachts alleen op de afdeling. Die gynaecoloog komt heus wel
als hij gebeld wordt, maar het probleem is dat de arts-assistent
de complicaties niet herkent. Die *weet* niet wanneer hij moet bellen.' Gynaecologen zouden ook te veel afwezig zijn.

De oplossing voor dit probleem? 24 uur per dag een gynaecoloog
*in* het ziekenhuis, zo menen Visser en Steegers. Hoogleraar Verloskunde Jan Nijhuis zou daar het liefst nog een anesthesist, een
kinderarts en een ok-team bij zien voor als er een spoedsectio
gedaan moet worden. Maar dat is duur. Er waren begin 2009 iets
meer dan 95 ziekenhuizen in Nederland met een verloskundige
afdeling. De NVOG berekende dat er per locatie anderhalf à twee
bevallingen in de avond en nacht plaatsvinden. De meeste van
die bevallingen gaan goed. Als je voor die ene waarbij het mis
dreigt te gaan 24 uur een team paraat moet houden, kost dat ziekenhuizen te veel geld. Daarom pleit Nijhuis voor een concentra-
tie van specialisten in minder ziekenhuizen. Maar dat betekent
wel dat de thuisbevalling op sommige plekken gaat verdwijnen,
want de afstand van thuis naar ziekenhuis wordt dan te groot om
nog verantwoord thuis te kunnen bevallen.

. . . . . . . . . . . . . . . . . . . . . . . . . . . . . . . .

### De ziekenhuisbacterie

In tegenstelling tot thuis komt in ziekenhuizen veel vaker de MRSA-bacterie voor. MRSA staat voor Methicilline Resistente Staphylococcus Aureus. Deze resistente 'ziekenhuisbacterie' is zeer besmettelijk en lastig te bestrijden. Als blijkt dat moeder of kind MRSA heeft, worden ze geïsoleerd verpleegd om te voorkomen dat MRSA zich verder verspreidt in het ziekenhuis. De MRSA-bacterie kan dodelijk zijn, zeker voor mensen met een verminderde weerstand en pasgeborenen. Meer info over MRSA geeft de Werkgroep Infectiepreventie. Zie www.wip.nl en www.mrsa-net.nl.

## Samenwerking

Er was nog een ander knelpunt waar de professoren aandacht voor vroegen, namelijk de gebrekkige ketenzorg rond de bevalling. In het hele traject van de bevalling zijn er verschillende schakels. Wie thuis begint en eindigt bij de gynaecoloog, heeft te maken met de verloskundige en misschien een kraamverzorgende. Daar komt in het ziekenhuis een klinisch verloskundige bij of een arts-assistent en mogelijk een co-assistent plus de gynaecoloog. Met een beetje pech zit daar ook nog de schakel van de ambulancebroeders tussen. Om dat allemaal soepel en snel te laten verlopen heb je een optimale samenwerking nodig. En daar schort het nogal eens aan. Visser geeft een voorbeeld uit het ziekenhuis. 'De ervaring leert dat specialisten die dienst hebben, maar niet in het ziekenhuis aanwezig zijn, pas laat worden gebeld. Men probeert het eerst zelf op te lossen.'

In de samenwerking tussen de verloskundige en ziekenhuis kan het eveneens beter. Verloskundige Mariska Vonk stuurde vanaf thuis een zwangere per ambulance in met een hevige nabloeding. 'Ze was in shock en zelfs de ambulancebroeders hadden moeite om haar stabiel te krijgen.' Vonk belde naar het ziekenhuis, het was 's nachts. 'Ik zei: "Ik zit met een spoedsituatie en heb een gynaecoloog nodig." Met het idee dat als wij eraan zouden komen, hij er ook zou zijn.' Toen ze aankwam, was volgens Vonk nog geen gynaecoloog aanwezig. 'De verpleegkundige zei dat ze hem nog moest bellen. Toen hebben we nog een heel kwartier moeten wachten. Het was een wonder dat het goed kwam.'

## Substandaard zorg

Intussen is begonnen met het invoeren van perinatale audits. Bij zo'n audit komen zorgverleners van ziekenhuizen en verloskundigenpraktijken op lokaal en regionaal niveau bij elkaar om sterfgevallen te bespreken die in de maanden ervoor plaatsvonden. Daarbij wordt vooral gekeken naar een mogelijke relatie tussen een sterfgeval en zogenaamde 'substandaard factoren', zoals onvolkomenheden die gemaakt zijn door verloskundigen, gynaecologen of andere zorgverleners tijdens de zwangerschap of bevalling. Denk daarbij aan te weinig personeel in een ziekenhuis, maar ook aan het eventuele te laat doorverwijzen door de verloskundige. 'Met die audits kom je er niet achter waarom Nederland het qua perinatale sterfte wat minder doet dan onze buurlanden,' zegt Adja Waelput die vanuit het RIVM betrokken is bij de opzet van de audits. 'Maar we hopen wel een antwoord te vinden op de vraag wat we in onze zorg kunnen verbeteren.'

## Moedersterfte

Er sterven maar heel weinig moeders aan de gevolgen van zwangerschap, baring of kraambed in Nederland. Gemiddeld ongeveer dertig per jaar. Maar begin jaren negentig waren dat er minder: circa twintig. Misschien komt dat hogere cijfer omdat er meer geregistreerd wordt. De Commissie Maternale Sterfte van de NVOG, die moedersterfte onderzoekt, wijst naar de hogere leeftijd waarop vrouwen kinderen krijgen. Daardoor neemt het risico op hoge bloeddruk en op ernstige zwangerschapsvergiftiging (nummer één als het gaat om moedersterfte) toe. Vooral eerstbarenden boven de veertig zitten in de gevarenzone. Niet-westerse allochtonen zitten vaker in de risicogroep. Zo'n eenderde van de moedersterfte betreft allochtone vrouwen. Daarbij spelen dezelfde problemen als bovengenoemde verhoogde risico's op babysterfte.

Maar er ligt eveneens een probleem bij de verloskundige zorg. Er wordt nog vaak te laat op de juiste manier op klachten van vrouwen gereageerd, aldus de commissie. Uit onderzoek van onder meer het Erasmus MC in Rotterdam bleek dat van een deel van de vrouwen die aan zwangerschapsvergiftiging gestorven waren de verloskundige niet gecontroleerd had of er eiwit in de urine zat. Eenmaal in het ziekenhuis werd bij ruim veertig procent niet de aanvullende nodige tests gedaan, doordat de situatie te licht was ingeschat.

## Fluxus

Professor Jos van Roosmalen, voorzitter van Commissie Maternale Sterfte, deed onderzoek naar levensbedreigende ziektes en moedersterfte rondom de bevalling. Tussen 1 augustus 2004 en 1 augustus 2006 bekeek hij 2500 vrouwen die tijdens of na de bevalling ernstig ziek waren geworden. Zes procent van die 2500 vrouwen was thuis bevallen. Van Roosmalen: 'Dat betekent dat de thuisbevalling als het ware beschermt tegen ernstige ziekte en sterfte. De selectie werkt goed. De meeste mensen zijn op tijd naar een ziekenhuis verwezen.' Een probleem vormt een hevige nabloeding of fluxus, zoals Hester had (zie hoofdstuk 5). Zo'n bloeding kan optreden nadat je moederkoek geboren is of omdat de placenta niet loslaat. 'De kans dat je dat als verloskundige meemaakt, is klein, maar het treft je als een speer tussen je schouderbladen,' meent verloskundige Simone Valk. Want al is het risico klein: 4,5 tot 5 procent van alle zwangeren krijgt er een – je kunt een fluxus niet voorkomen of voorspellen. Bij een fluxus is het zaak heel snel op te treden, anders bloed je dood. Je kunt de geboorte van de moederkoek bespoedigen door direct na de geboorte een injectie met weeënopwekkend middel, zoals oxytocine, te geven. 'Uit diverse gerandomiseerde onderzoeken blijkt dat eventueel bloedverlies erdoor afneemt,' zegt Joke Bais, die onderzoek deed naar ernstige nabloedingen. Bais meent dat die injectie altijd gegeven zou moeten worden. 'Maar als ik het zo hoor doet nog niet iedereen dat.'

### Goed om te weten!

Er is een hogere kans op veel bloedverlies als de geboorte van de placenta langer dan een half uur op zich laat wachten. Daarom zal de verloskundige je doorsturen naar het ziekenhuis als de placenta er na een half uur nog niet is.

131

## Sterfte door keizersnede

Vrouwen die via een keizersnee bevallen hebben een drie tot zeven maal hogere kans om te overlijden aan de ingreep dan vrouwen die vaginaal bevallen. Een keizersnede geeft bovendien een hoger risico op complicaties bij een volgende zwangerschap en bevalling. Bij een vaginale bevalling na een keizersnede kan het litteken in de baarmoeder scheuren (uterusruptuur). Die kans neemt toe als de baring wordt ingeleid met weeënopwekkende middelen. Bij die scheuringen kan het kind door zuurstofgebrek overlijden bij de geboorte. Ook is er een kans dat je placenta 'ingroeit' op de plaats van het oude keizersnedelitteken. De moederkoek komt dan na de geboorte van het kind niet los en moet soms met de baarmoeder verwijderd worden. Dit kan ernstige complicaties voor de moeder zoals bloedingen met zich meebrengen.

### Percentages:

- Geslaagde vaginale baring na een eerdere keizersnede: 80%
- Kans op uterusruptuur bij vaginale bevalling na eerdere keizersnede: 1,5%
- Sterfte kind als gevolg daarvan: 1,2 per 1000 vaginale bevallingen
- Verwijderen van baarmoeder na uterusruptuur: 0,9 per 1000 vaginale bevallingen
- Ingegroeide placenta na een keizersnede: 0,2%
- Ingegroeide placenta na twee keizersneden: 0,3%
- Ingegroeide placenta na drie keizersneden: 5,1%[18]

# Ziekenhuis of thuis?

Zowel Van Roosmalen als Valk als gynaecologe Bais geeft het toe. Je kunt in het geval van een fluxus beter in het ziekenhuis zijn dan thuis. 'Hoewel het er natuurlijk van afhangt hoe dicht je bij een ziekenhuis woont,' zegt Joke Bais. Thuis heb je vier procent kans op een fluxus. Is dat een reden om dan maar poliklinisch te bevallen? Bais: 'Of je die vier procent hoog vindt, moet je zelf bepalen.' Simone Valk wijst op de lege ziekenhuizen in de nacht: 'In de helft van de ziekenhuizen is er dan ook geen gynaecoloog, hoor.' En professor Van Roosmalen wijst nog maar eens op de verhoogde kans op onnodige ingrepen die je loopt als je in het ziekenhuis begint. 'In die groep van ernstige maternale morbiditeit (ziekelijkheid) die wij onderzocht hebben, zitten heel veel uterusrupturen (scheuring van de baarmoeder) door eerdere keizersnedes die niet hadden gehoeven. En als een gynaecoloog zegt dat hij of zij nog nooit een overbodige sectio heeft gedaan, geloof ik daar niets van,' meent Van Roosmalen, die zelf ook uitvoerend gynaecoloog is.

• • • • • • • • • • • • • • • • • • • • • • • • • • • • • • • •

**De voornaamste oorzaken van moedersterfte zijn:**
1. (Pre)eclampsie (zwangerschapsvergiftiging) (meer dan de helft) of HELLP-syndroom. (In meer dan de helft van de sterftegevallen)
2. Trombo-embolie (bloedpropjes in de slagaders) en longembolie
3. Bloedvergiftiging door een infectie (sepsis); kraamvrouwenkoorts
4. Hevig bloedverlies na de bevalling (fluxus)

## Realistische voorlichting

Veiligheid is tevens een gevoel in de onderbuik. Want wat zegt vier procent kans om een hevige bloeding te krijgen tegen zeven maal meer kans op sterfte na een keizersnede? Het gaat er vaak om wat je bij die cijfers voelt. Verloskundige Michelle ten Berge maakt het regelmatig mee. 'Ik zie heel vaak dat zwangeren hun keuze maken zonder dat ze goed geïnformeerd zijn. Ze zeggen dat ze in het ziekenhuis willen bevallen, omdat dat veiliger is en denken dat er altijd een dokter op de gang staat. Je kunt wel zeggen: "Ik voel me daar veiliger". Maar dat is wat anders.' Juist omdat er zoveel onduidelijke verhalen de ronde doen is het wel zaak dat vrouwen goed voorgelicht worden, meent ze. 'Waar ze vervolgens willen bevallen is hun keuze en die volg ik.' Volgens Jos van Roosmalen is het een absolute must dat zwangeren de realiteit voorgespiegeld krijgen. 'Pas dan kunnen vrouwen ook echt kiezen. Je moet als zorgverlener dus helder vertellen dat als vrouwen thuis willen bevallen er altijd een klein risico is dat ze alsnog met spoed naar het ziekenhuis moeten. Je moet niet zeggen: "Het gaat wel goed", want dat is niet altijd zo.'

## Botte pech

Het kind van Hetty stierf in 2001. Thuis. Ze was 31 en zwanger van haar eerste kind. 'Ik dacht: ik ga thuis bevallen. Dat was in mijn omgeving heel normaal.' De eerste wee kwam heel vroeg in de ochtend, om kwart over vijf. Om negen uur 's och-

134

tends kwam de vroedvrouw. Die toucheerde: Hetty had vier centimeter ontsluiting. Daarna ging de vroedvrouw weg. Toen ze later terugkwam constateerde ze acht centimeter. Hetty: 'Toen heeft ze gebeld met de kraamzorginstantie en een andere verloskundige, want ze zouden om 12.00 uur 's middags van dienst wisselen.' De verloskundige maakte aanstalten om weg te gaan. Hetty vond dat vreemd. 'Ik zei nog: "Maar ik heb al een drukkend gevoel." "Nee," zei ze, "het gaat wel goed. Mijn collega komt om 13.00 uur."'

Het bleek een fatale beslissing. Hetty kreeg koorts. 'Op het ene moment lag ik te zweten als een gek en daarna weer te klappertanden van de kou. Maar het was mijn eerste, dus ik dacht dat het erbij hoorde.' Koorts is een teken van infectie; Hetty had op dat moment dus naar het ziekenhuis gemoeten. Maar dat gebeurde niet. Tegen enen stond de kraamverzorgende voor de deur. Op het moment dat de bel ging, brak het vruchtwater en dat was meconiumhoudend: een tweede reden om Hetty naar het ziekenhuis te sturen. De kraamverzorgende mag hierin echter niet zelfstandig een beslissing nemen; het wachten was dus op de vroedvrouw. Toen zij kwam was Hetty al aan persen toe. 'Op dat moment konden we niet meer naar het ziekenhuis, want dan zou het een bevalling in de ambulance zijn geworden.' De verloskundige zette haar spullen klaar en Hetty ging persen. 'Er was toen nog wel een hartslag, waarschijnlijk de laatste. Daarna merkten we: dit gaat niet goed.' Hetty kreeg een knip, de kraamverzorgende begon op haar buik te duwen. Haar zoon werd tien minuten later geboren. Slap, zonder ademhaling. Uitzuigen, zuurstof geven: het hielp niet. De ambulance werd gebeld. De broeders reanimeerden haar zoontje thuis bij haar op bed. Maar het mocht niet baten. Haar zoontje was geïnfecteerd met een streptokok groep F. Hetty: 'Die is niet zo ziekmakend, maar kan wel fataal zijn in combinatie met meconiumhoudend vruchtwater.'

Had zijn overlijden voorkomen kunnen worden? Hetty denkt van wel. Als de eerste vroedvrouw was gebleven, had die wellicht de koorts op tijd ontdekt en had Hetty met haar kind bijtijds opgenomen kunnen worden in het ziekenhuis. 'Ik heb nog gevraagd waarom ze wegging. Ze zei dat we het zo goed deden samen.' Als ze niet thuis was bevallen, had haar zoontje misschien ook nog gered kunnen worden, denkt ze. 'Op het moment dat het echt nodig is, ben je zelfs met een ambulance niet zomaar in het ziekenhuis. De ambulancepost was hemelsbreed een kilometer van ons vandaan en op nog geen tien minuten van het ziekenhuis. Bellen, aanrijden, stabiliseren, vervoeren en naar de afdeling. 25-30 minuten na de geboorte ben je zo kwijt, ook als je dichtbij woont.'

Als, als, als. Kijkend naar de statistieken is het geval van Hetty eerder een incident dan de regel; ze had botte pech. Ze hoort in die groep van 0,4 promille waarbij het thuis fout gaat. Hetty heeft er geen boodschap aan. 'Je zult maar zo'n promieltje zijn.'

**Goed om te weten!**
Bijblijven? In de brochure *Zwanger!* staat alle algemene informatie over testen en controles op een rij. De brochure wordt aangepast als er veranderingen zijn. Je kunt 'm down-

loaden van de NVOG-site: www.nvog.nl of de KNOV-site: www.knov.nl (onder de rubriek patiëntenvoorlichting).

Wil je meer weten over bloedonderzoek, prenatale screening of hiv, kijk dan op www.gezondebaby.nl, een website van het RIVM, aanbevolen door gynaecologen.

## Doen!

Vraag aan je verloskundige hoe het zit met de beschikbaarheid van gynaecologen en ok-teams op de afdeling verloskunde van het ziekenhuis waar je wilt bevallen of – als je thuis wilt bevallen – waar je terechtkomt als je wegens complicaties ingestuurd wordt. Ben je er daarna nog niet gerust op, maak dan een afspraak en ga zelf bij de ziekenhuizen kijken.

# 10.

## Een roze wolk?

*Wat vrouwen van hun bevalling verwachten*

In de zomer van 2008 zetten de resultaten van een opmerkelijk onderzoek de verloskundige wereld op z'n kop. TNO Kwaliteit van leven had 1300 vrouwen gevraagd hoe tevreden zij waren over de loop van hun bevalling. Wat bleek: 23 procent van de vrouwen die hun eerste kind baarden (1 op 5) en 12 procent van de multiparae (1 op 9) waren daar niet gelukkig mee. Vrouwen die kozen voor het ziekenhuis en daar zonder complicaties waren bevallen keken iets negatiever op hun bevalling terug dan vrouwen die thuis waren bevallen. En vooral vrouwen die verwezen waren tijdens de baring, die een kunstverlossing of keizersnede hadden gehad en onvoldoende keuze als het ging om pijnstilling, kruisten in de enquête 'ontevreden' aan.

### Cijfers & Onderzoek
• • • • • • • • • • • • • • • •

In het TNO-onderzoek werd in 2004 aan 3200 vrouwen die in 2001 waren bevallen een vragenlijst gestuurd. Drie jaar later blikte 16 procent negatief terug. Aan het onderzoek werkten acht eerstelijns praktijken mee. De respons was 44 procent. Volgens de onderzoekers is het onderzoek representatief als het gaat om de manier van baren, de plaats van bevalling en obstetrische interventies. Maar niet als het gaat om de representatie van etniciteiten. Allochtone minderheden waren in de onderzoeksgroep ondervertegenwoordigd (5,4 procent versus 17,7 landelijk).[19]

Volgens Marlies Rijnders, die het TNO-onderzoek leidde, heeft dit vooral te maken met een gebrek aan controle en keuzevrijheid tijdens de bevalling. 'Het oordeel van vrouwen is positiever wanneer ze het idee hebben dat de zorgverlener aandacht voor ze had en als ze een stem hadden in wat er zou gebeuren.'

## Buitenlandse vrouwen tevredener

Opmerkelijk is dat moeders in de ons omringende landen tevredener zijn. Uit vergelijkend onderzoek in België en Engeland kwam naar voren dat vrouwen daar minder negatief op hun bevalling terugkeken dan Nederlandse vrouwen. Terwijl in beide landen het aantal interventies groter is dan in Nederland en de keuze minimaal is als het gaat om de plek van bevallen.

Cijfers & Onderzoek
• • • • • • • • • • • • • • • • •

**Content in België**
De Belgische sociologe Wendy Christiaens deed een studie naar de tevredenheid van Vlaamse moeders in Gent en Nederlandse moeders in de regio Tilburg. In 2004-2005 nam ze 563 enquêtes af. Daaruit bleek dat de Belgische vrouwen op alle fronten tevredener waren dan de Neder-

landse, zowel de één procent Vlamingen die thuis beviel als het overgrote deel dat in het ziekenhuis was bevallen. Een opmerkelijk resultaat, want de onderzoekers hadden verwacht dat het Nederlandse systeem met z'n nadruk op niet-medicaliseren hoger zou scoren dan het Belgische.[20]

Dus misschien is er meer aan de hand. In Nederland is het systeem ingericht op niet-medicaliseren en een zo natuurlijk mogelijke bevalling. In België en Engeland gaan veel meer vrouwen naar de gynaecoloog en heeft zo'n 98 procent een ziekenhuisbevalling. Bovendien maakt in beide landen meer dan 60 procent gebruik van pijnstilling – tegen circa tien procent in Nederland. Zijn het Nederlandse 'natuurlijke' baren en de thuisbevalling mede schuldig aan die gevoelens van ontevredenheid? Uit de cijfers van TNO blijkt dat maar liefst veertig procent van de vrouwen die thuis wilde baren maar dat niet kon, negatief terugblikte. Hebben Nederlandse zwangeren misschien te hoge verwachtingen? Denken ze dat het een makkie is om op eigen kracht, thuis, zonder pijnbestrijding een kind op de wereld te zetten en zijn ze teleurgesteld als het tegenvalt?

Neem Madeleine. Haar droom was een thuisbevalling. 'Ik wist dat ik het kon. Vriendinnen van mij deden het ook.' Toch moest ze bij de eerste naar het ziekenhuis omdat het kind in het vruchtwater had gepoept. Daar vlotte het persen niet en kwam de vacuümpomp er aan te pas. 'Dat het me niet zelf gelukt is, vond ik heel vervelend. Ik kreeg toch het gevoel dat ik min of meer gefaald had.' Carina moest naar het ziekenhuis om ingeleid te worden. 'Ik heb gehuild omdat het niet thuis zou gaan gebeuren. Ik kreeg het gevoel dat de bevalling van me werd overgenomen, dat het niet meer op onze manier zou gaan.'

## Idealiseren

Doula Annieck Rietbergen – tevens moeder van zeven kinderen – denkt dat een groep vrouwen de bevalling mooier maakt dan deze in werkelijkheid is. 'Ze bereiden zich voor op thuis bevallen. In die leuke lieve slaapkamer. Met muziek en kaarsjes. Maar de realiteit van een bevalling is anders. Er moet enorm veel werk verzet worden. Soms moet je anderhalf uur persen voordat je kind eruit is. Dan kom je er niet met meditatiemuziek en kaarsjes.' Huisarts Bart Molenaar, die zelf bevallingen begeleidt, meent dat Nederlandse vrouwen hoge eisen aan zichzelf en aan elkaar stellen. 'Als Nederlandse vrouw heb je meer aanzien als je niet te veel zeurt, als je sterk bent. Pijn zou de moederbinding bevorderen, dat horen vrouwen ook regelmatig. En ja, als het dan allemaal niet op eigen kracht of vaginaal gebeurt dan zijn vrouwen teleurgesteld dat ze dat oergevoel niet kunnen beleven.' En moeder Esther zegt: 'Er wordt te veel op gehamerd dat je je niet aan moet stellen. Je moet het er maar gewoon leuk thuis uit poepen.'

## Realiteit

Worden Nederlandse vrouwen te weinig voorbereid op de werkelijkheid? Evelien deed in 2005 een zwangerschapscursus. 'Daar werd zo overdreven rozewolkachtig gedaan. Zo leuk allemaal, zo'n kindje. Van de bevalling schetsten ze een heel idyllisch beeld. Met filmpjes uit de jaren zeventig en soft focus foto's van een thuisbevalling. Met een lachende barende vrouw op alle foto's. Het was onrealistisch.'
Ook verloskundigen zijn volgens sommige vrouwen nog te veel gericht op de roze wolk van de bevalling. Ze sussen je te veel met

de woorden 'meestal gaat het goed,' meent menig moeder. Ze schetsen geen evenwichtig beeld van wat er echt kan gebeuren. Aan Madeleine was nooit verteld dat bij een eerste de kans groot was dat ze een rit naar het ziekenhuis moest maken. 'En ik wist al helemaal niet dat ik nog tijdens de persfase ingestuurd kon worden.'

Ook verloskundige Hedwig van Damme meent dat nog veel verloskundigen de roze wolk van de bevalling – thuis, zonder veel pijn – in de lucht houden. Van Damme is oprichtster van Le Toucher, een praktijk voor zwangerschapsbegeleiding en nazorg in Houten, waar ze vrouwen coacht met een traumatische bevallingservaring. 'Ik zou het reëel vinden als vroedvrouwen zouden zeggen: thuis bevallen in je eigen omgeving is het allermooiste wat je kan overkomen, maar weet dat daar ook een schaduwkant aan zit. Want de helft van de vrouwen die thuis wil bevallen, eindigt in een ziekenhuis en dat kan soms een traumatische ervaring opleveren. Maar ik vraag me af of voorlichting op die manier gegeven wordt.' Doula Annieck Rietbergen zou eveneens willen dat vrouwen veel meer realiteit te horen kregen. 'Wat gebeurt er bij een vacuümextractie, bijvoorbeeld. Dat kan schrikwekkend zijn om mee te maken. Het lijkt alsof zo'n arts zich in bochten wringt om enorm veel kracht te kunnen zetten. Maar dat doet hij om zo voorzichtig mogelijk het kind eruit te halen. Of wat de indicatie meconiumhoudend vruchtwater inhoudt. Ik maak mee dat ouders in angst om hun kind in de auto zitten naar het ziekenhuis. Als je van tevoren uitlegt wat er daadwerkelijk aan de hand is, scheelt dat in de uiteindelijke beleving.' En huisarts Bart Molenaar meent dat veel vaker duidelijk gemaakt moet worden, dat je er niets aan kunt doen als het anders loopt. 'Je had gewoon pech, het ligt niet aan jou.'

**Goed om te weten!**
De KNOV heeft een brochure uitgebracht, waarin beschreven staat hoe je je kunt voorbereiden op de bevalling. Er staat tevens in hoe een bevalling per fase verloopt. De brochure *Jouw bevalling: Hoe bereid je je voor?* kun je vinden bij je verloskundige.

## Sfeer van verheerlijking

Nogal eens wordt met een beschuldigende vinger naar Beatrijs Smulders gewezen. Zij zou het thuis bevallen zonder pijnbestrijding verheerlijken en daardoor bijdragen aan een wedstrijdsfeer: kun je het niet thuis, dan ben je tekortgeschoten. 'Smulders praat haar lezers bijna een schuldgevoel aan als een bevalling niet uitmondt in een hemelse ervaring vol oerkrachten,' zo fulmineert een vrouw op internet.

Smulders zelf zegt altijd te hameren op een te hoog verwachtingspatroon. 'Ik zeg tegen vrouwen: geen verwachtingen, want je weet nooit wat de natuur voor jou in petto heeft. Het succes van een bevalling hangt niet af van hoe die bevalling verloopt; gemakkelijk of niet. Het gaat erom dat je er alles aan hebt gedaan om het kind er veilig uit te krijgen. En dat dit proces liefdevol begeleid is.' Als een bevalling aan die voorwaarden voldoet, is het – zo meent Smulders – helemaal geen drama om naar het ziekenhuis te gaan. 'Het is dan gewoon het staartje van een thuisbevalling.'

Cursusleidster Josée Busnel zegt hetzelfde. 'Van de week kreeg ik een mailtje van een lesbisch stel. Ze schreven dat ze een voorspoedige bevalling hadden gehad, het ging hartstikke goed, alleen op het einde moesten ze even de vacuüm erop zetten en toen kwam er een spoedkeizersnee, maar toch super. Toen dacht ik: nou, dat was dus een rotbevalling. Maar zij hadden dat niet zo ervaren. En ik denk dat het daarom gaat.'

## Pech incalculeren

TNO-onderzoekster Marlies Rijnders vraagt zich af of het nu zo erg is dat je teleurgesteld bent als je niet thuis kunt bevallen. De fysiologische thuisbevalling is een ideaal, erkent ze. En het moet niet zo zijn dat dit ideaal gezien wordt als 'normaal'. 'Want dat is het niet. Het is eerder optimaal: het hoogste mogelijke, het meest gunstige.' Naar die ideale bevalling mag je best streven. 'En dan is het eigenlijk logisch dat het niet iedereen lukt om thuis te bevallen. Een groep die dat echt wil, is misschien teleurgesteld. Maar dat vind ik eigenlijk vrij gezond,' redeneert Rijnders. 'Ik vind de situatie in Engeland waar mensen minder teleurgesteld zijn maar de grootst mogelijke "shit" accepteren – in de zin van overbodige inleidingen, vacuümextracties en keizersnedes – een veel minder gezonde situatie. Dan ga je er van tevoren al van uit dat het niks wordt. En dat alles wat goed gaat meegenomen is. Dan denk ik: wat zonde om zo je bevalling in te gaan.'

## Mismatch

Maar volgens verloskundige Simone Valk is er meer aan de hand. Zij meent dat de ontevredenheid deels voortkomt uit een groeiende mismatch tussen wat moderne vrouwen willen en wat de verloskundige wereld ze biedt. 'Wij verloskundigen zijn wars van Amerikaanse toestanden. Bevallen deed en doe je thuis in je eigen bed, zwangerschapsgym is een adequate voorbereiding en verder stellen we ons niet aan. Een Hollandse meid zet haar tanden op elkaar. Als Nederlandse verloskundige word je opgeleid in deze ideologie. Thuis bevallen is een doel in plaats van een middel.' Volgens haar is de moderne zwangere hiervan de dupe, want die heeft andere eisen. 'Die wil een vlotte baring, niet te veel pijn, een lieve begeleider en een gezond kind.' En of dat kind dan uiteindelijk thuis wordt geboren of in het ziekenhuis, dat zal een steeds groter wordende groep vrouwen een worst wezen.

## Voor en na: Verloskundige Michelle ten Berge, zwanger van de eerste

**Voor:**

'Ik roep nu: ik wil thuis bevallen, maar misschien krijg ik een complicatie of roep ik na drie weeën dat ik een ruggeprik wil. Ik zie wel. Ik denk wel – en dat heb ik ook met mijn verloskundige afgesproken – dat ik in het grijze gebied meer risico's neem, omdat ik die zelf goed kan inschatten. Ik ben donderdag 37 weken zwanger en mag vanaf dat moment officieel thuis bevallen, maar als woensdag de weeën komen, blijf ik ook thuis.'

**Na:**

'Ik had drie minst favoriete bevalscenario's: serotiniteit, gebroken vliezen met meconium en gebroken vliezen zonder weeën. Scenario's waarbij ik zelfs niet een gedeelte van de bevalling thuis zou kunnen doen. Toen ik op 5 januari een "plopje" voelde, dacht ik dat het de vliezen konden zijn, maar ik voelde geen water. En ik had geen weeën. Mmm. Toen voorzichtig wat geperst en jawel: een stroom warm water. En het was helder! Pffff. Twee van de drie scenario's waren de deur uit. Die derde zou ik ook wel tackelen. Kom maar op met die weeën! Voorlopig vond ik ze echter nog bijzonder *small*. Pas vanaf vier uur 's nachts werden ze heviger en kwamen ze echt regelmatig. Ik belde "mijn" twee collega-verloskundigen: Bea en Jacky. Ze controleerden mijn laatste maandverbandjes. Er bleek meconium op te zitten. Verdorie, dat werd ziekenhuis. Ik probeerde mijn teleurstelling met de volgende wee weg te zuchten. Bea en Jacky toucheerden: "Vier? Vijf? Misschien z...?" "Zes!" riepen ze. "We gaan nergens heen!" Ik kon het niet geloven. Zes centimeter? Met deze zeer beginnende weeën? Wauw! Dan werd de rest van de bevalling een lachertje... En ik kon thuis blijven!'

## Baren op Terschelling

Het is nog geen vijf uur in de middag maar al pikdonker en ijzig koud buiten op het dek van De Koegelwieck. Beneden maalt de zwarte zee. In de verte blinken de lichtjes van de haven. Hier op Terschelling baren vrouwen al jaren onder begeleiding van huisartsen. Twee praktijken zitten er op het eiland, een in Midsland en een in West-Terschelling. Zo ging het vroeger, zo gaat het nu.

Er is wel wat veranderd. Sinds februari 2007 is er een verloskundige bijgekomen. Noushka Lammers is verbonden aan huisartsenpraktijk West-Terschelling, die is ondergebracht in een herenhuis aan de boulevard bij de haven. *De huisarts doet de bevallingen door de week. Lammers heeft dienst van vrijdag tot maandagavond.* Tijdens die dagen woont ze bij man en kind op Terschelling. De rest van de week werkt ze als klinisch verloskundige in het Medisch Centrum Leeuwarden. En woont er in haar 'tweede huis.' 'Elke dag op en neer met de boot is ondoenlijk.'

Kunnen vrouwen hier wel kiezen waar ze willen bevallen? Lammers denkt even na. 'Nee, eigenlijk niet. De afstand tot de wal is te groot. Je weet nooit wanneer de baby precies komt. Dan zou je een paar weken voor de uitgerekende datum al een kamer aan wal moeten huren. Hoe doe je dat met je werk, met je partner, met andere kinderen? Bovendien, als je geen medische indicatie hebt, kost het transport en verblijf aan wal je geld. Wie gaat dat betalen?'

Niet dat dit een probleem is. Op Terschelling komt het maar zelden voor dat een vrouw poliklinisch wil bevallen. Zowat iedereen wil thuis. Omdat ze het niet anders gewend zijn. Omdat het praktisch een ingewikkeld verhaal is om in het ziekenhuis te bevallen. Maar ook omdat aankomende ouders graag willen dat hun kind een echte 'Terschellinger' is.

Zoals het kind van Marlou en Hessel. De kersverse moeder en vader vertellen trots hun verhaal in hun kleine huis in Hoorn, Oost-Terschelling. De twee weken oude Larson sabbelt aan een speen. Marlou is thuis bevallen. En daar zijn ze heel blij mee. 'Het was gewoon heel fijn, zo in ons eigen huis met de dokter erbij. En anders hadden we aangifte moeten doen in Leeuwarden of Sneek; dan was het geen eilander geweest.'

'Ik denk dat vrouwen hier wat meer hun best doen om toch thuis te kunnen bevallen,' zegt Willem Jan Groeneveld, huisarts bij de andere praktijk die Terschelling rijk is. Groeneveld –

bergschoenen, katoenen sjaal en kortgeschoren haar – werkt nu acht jaar op Terschelling, daarvoor op het vasteland. Hij kan vergelijken. De vrouwen op Terschelling gaan niet mee in de vraag om een ruggeprik. Maar, zo meent Groeneveld, die pijn wordt ook draaglijker als je erbij blijft. En dat is het voordeel van zo'n klein eiland. In 2008 zijn er circa vijftig kinderen geboren; 25 bij de ene, 25 bij de andere praktijk. 'Als zorgverlener heb je nog de rust en de ruimte om een sfeer van veiligheid te creëren,' zegt hij.

Anders is het bij complicaties. Je doet er zo'n anderhalf uur over om vanuit Terschelling in het ziekenhuis in Leeuwarden of Sneek te zijn. In de nacht kunnen zwangeren niet met De Koegelwieck; die is dan niet in dienst. Afgezien daarvan duurt de tocht over zee alleen al drie kwartier. Met de traumahelikopter kan ook, maar die vliegt niet bij mist of als het hard vriest, want dan gaat er ijs op de bladen staan. Bovendien moet ook de heli vaak nog van een andere plek komen. Een alternatief is de reddingsboot, maar ook daar moet je weer een rit op het eiland plus aan de wal bij op tellen. Groeneveld: 'Je moet heel goed analyseren wat er kan gaan gebeuren, maar ook weten welk type transport op dat moment geschikt is.'

Want te laat insturen, kan fataal zijn. Sjoukje beviel thuis van haar tweede, maar voor haar eerste bevalling moest ze de reddingsboot in. Het was in de nacht van 14 september 2002. Haar vruchtwater brak en haar man zag dat er meconium in zat. Hij belde de huisarts, de ambulance kwam en toen voeren ze met de dokter en een verpleegkundige in de reddingsboot naar de andere kant. Het was circa vijf uur in de morgen, het waaide en ze kreeg een koptelefoon op. Veel meer heeft ze er niet van meegekregen. 'Het enige wat ik nog weet is dat de dokter mijn hoofd vastpakte en streng zei: "Je mag niet persen."' Toen ze in Sneek aankwam had ze al negen centimeter ontsluiting. Haar kind kwam ter wereld met een vacuümpomp. 'De gynaecoloog zei: "Je hebt geluk dat hij in het vruchtwater heeft gepoept, want het was een drama geworden, als jullie thuisgebleven waren."'

In 2003 verscheen er een rapport van de Inspectie voor de Gezondheidszorg. Die concludeerde dat de verloskundige zorg op het eiland kwalitatief voldoende was. Wel hadden de huisartsen soms 'de neiging de grenzen van hun deskundigheid te overschrijden'. Het ging daarbij om het incidenteel gebruikmaken van een vacuümpomp. De inspectie vond dat 'onverantwoord'.

Huisarts Groeneveld is een andere mening toegedaan. Hij heeft nog nooit een vacuümextractie gedaan, zegt hij, maar zou de pomp wel standaard in zijn verlostas willen hebben. 'Er kan altijd een situatie zijn, waarbij je 'm nodig hebt.' Onverantwoord vindt hij het gebruik ervan thuis niet, als je het maar door de juiste mensen laat doen. 'Er zitten op de Waddeneilanden veel huisartsen die ervaring in Afrika opdeden. Voor hen is een vacuümextractie een fluitje van een cent.'

Verloskundige Noushka Lammers is er faliekant op tegen. 'Dan ga je echt een grens over.' Ook Lammers anticipeert op complicaties. Ze geeft iedere zwangere direct na de geboorte een injectie met een weeënopwekkend middel om de moederkoek sneller te laten komen, zodat je een mogelijke fluxus kunt inperken. Ze breekt vrij snel de vliezen. 'Dan zie ik of het kind heeft gepoept en kunnen we eventueel nog op tijd weg.' En ze handelt volgens de PSOL-filosofie. Als een ontsluiting minder dan een centimeter per uur vordert, stuurt ze ook in. 'Juist omdat de afstand naar de wal zo groot is, neem ik geen enkel risico.' De consequentie is dat er minder vrouwen thuis bevallen. In de praktijk waar Lammers werkt waren er 25 bevallingen in 2008. 'Slechts' negen daarvan bevielen thuis. De praktijk van Groeneveld zou er naar eigen zeggen 12 hebben. Maar Lammers is tevreden. 'Het gros mag het de volgende keer weer thuis proberen.'

# 11.

## Laat me niet alleen

*Met een goede coach bevalt het beter*

Een deel van de moeders zal het herkennen: je weeën beginnen. Samen met je partner houd je het aantal minuten tussen de weeën bij. Zijn er twee uur lang om de vijf minuten weeën dan kun je bij een eerste kind de verloskundige bellen. Zij hoort vaak aan je stem of het serieus is. Zo ja, dan komt ze om te toucheren. En daarna gaat ze weer weg. De weeën komen nu sneller, worden heviger en veel pijnlijker. Toch maar weer bellen. Ze komt, je hebt zes of zeven centimeter ontsluiting. Meestal blijft ze en belt de kraamverzorgster. Die komt net binnen hollen voordat je mag gaan persen. Het kind wordt geboren, de verloskundige blijft nog even. De kraamverzorgende een uurtje langer. Maar als het donker is, blijf je de rest van de nacht alleen. Er zijn uitzonderingen. Soms blijft de verloskundige als je nog maar drie centimeter ontsluiting hebt. Soms is ze er pas als je al persweeën hebt. En in een enkel geval is ze er helemaal niet.

Er zijn vrouwen die het ontsluitingsproces heel goed alleen met hun partner aankunnen. Als je al eens een kind hebt gehad, weet je hoe baren voelt. Anders is het bij een eerste kind. Je hebt wat gelezen en gehoord, maar hoe het er daadwerkelijk aan toe gaat weet je pas als de bevalling voorbij is. Annemieke had twee dagen lang weeën. Ze vond het heel vervelend dat de verloskundige elke keer weer wegging. 'Ik kon wel wat meer steun gebruiken in die uren.' Ook Nicole miste haar vroedvrouw tijdens de ontsluitingsfase. 'Ik was niet bezorgd over de kleine man in mijn buik, maar raakte wel steeds in paniek omdat de weeën zo heftig waren en ik – ondanks een pufcursus – geen flauw idee had hoe ik ze moest opvangen. Het zou zeker gescheeld hebben als ze erbij was gebleven. Of als ze me van tevoren nog even had voorgedaan wat te doen als het te heftig zou worden. Nu had ik totaal geen controle over de situatie.'

Josée Busnel geeft bevallingscursussen. Bij de terugkomdagen klagen haar cursisten regelmatig over de afwezigheid van de vroedvrouw. 'Vroeger belde je op bij vijf minuten weeën en dan kwam de verloskundige. Nu gaat de verloskundige aan de telefoon doorvragen. Mag ik een wee horen? Dan zeg ik altijd; niet doen. Want als jij nog gezellig babbelt, denkt de verloskundige: ach, het valt wel mee en dan kom je onder aan haar prioriteitenlijstje.'

## Bevallingsangst

Continuïteit in baringsbegeleiding is cruciaal; dit erkennen alle beroepsgroepen. Zowel lichamelijk, psychisch als emotioneel is het van groot belang dat een zwangere iemand in de buurt heeft die kennis heeft van het baringsproces en die haar ondersteunt. Zeker bij een eerste bevalling. Want vaak zijn zwangeren bang. Er is in Nederland relatief weinig onderzoek gedaan naar angst voor de bevalling. Maar uit buitenlands onderzoek blijkt dat meer dan een kwart van alle vrouwen bang is voor de bevalling. Volgens sommige verloskundigen zijn zwangeren van nu angstiger dan vroeger. Verloskundige Petra Blokker van praktijk Westerkade in Utrecht: 'Vroeger was bevallen een familiegebeuren, waar zussen en moeders bij waren. In veel andere culturen is dat nog steeds zo. Als een Marokkaanse vrouw bevalt zijn er vaak meerdere vrouwen bij de bevalling aanwezig. Ik denk dat als je twee bevallingen gezien hebt, je met meer vertrouwen je eigen bevalling in gaat en eerder zult denken: dat kan ik ook. Nu is het voor veel vrouwen een geïsoleerde gebeurtenis.' Bovendien is een kind een heel kostbaar goed geworden. Het gemiddeld aantal kinderen per gezin is 1,7. Dat betekent dat veel vrouwen één of op zijn hoogst twee kinderen baren. Steeds meer komen die baby's via kunstmatige bevruchting – één op de circa veertig kinderen is via ivf verwekt. En dat is bijna altijd een moeizame weg. Blokker: 'De druk en angst is dan erg groot: het *moet* goed gaan. Ik heb nu een cliënt die na vijf keer ivf zwanger is geworden. Ze wil een keizersnee; zo bang is ze dat ze het vaginaal niet aankan.' Maar angst kan gevaarlijk zijn: zowel voor de moeder als voor het kind. Angstige vrouwen missen het vertrouwen om de zwangerschap of bevalling op eigen kracht aan te kunnen. Dat leidt tot pijnstilling en een kunstverlossing of keizersnede terwijl daar eigenlijk geen medische reden voor is. De bevalling duurt vaak ook langer. Ook het kind lijdt; de baby zou veel meer stress ondervinden in de baarmoeder.

Wetenschappelijke studies, zowel in binnen- als buitenland, tonen het aan: met een 'wijze' vrouw of man die erbij blijft, zijn barende vrouwen minder bang en is er een kleinere kans op kunstverlossingen, keizersnedes en postnatale trauma's. De bevalling duurt zeker een paar uur korter, vrouwen vragen minder om pijnstilling en de weeën hoeven minder bij gestimuleerd te worden. Vertaald naar de Nederlandse situatie: met continue goede begeleiding aan het bed is er meer kans op een thuisbevalling.

## Eerdere ervaringen

Meer dan een kwart van alle vrouwen is bang voor de bevalling. Dat is vooral zo als zij een traumatische eerdere bevalling hebben gehad. Vaak komen ze daar pas achter als ze opnieuw zwanger zijn. Een enkele verloskundigenpraktijk heeft 'verwerkings-spreekuren'. Daar betaal je extra voor. Verschillende ziekenhuizen werken met een traumaprotocol. Als na een bevalling blijkt dat de moeder een traumatische ervaring heeft gehad, kan dat terugge-koppeld worden naar een psycholoog of maatschappelijk werker. Toch is het niet genoeg, meent verloskundige Hedwig van Dam-me, die vrouwen met bevallingsangst begeleidt. Ze ziet regelma-tig vrouwen met trauma's. 'Omdat ze tijdens of na de bevalling nog naar het ziekenhuis moesten, of omdat het kind het slecht deed of zijzelf veel bloedverlies hadden.' De gevolgen kunnen he-vig zijn. Van Damme: 'Vrouwen stappen soms door zo'n gebeur-tenis uit hun lichaam, of het bindingsproces met hun kind raakt verstoord.' Om die vrouwen weer zelfvertrouwen te geven, is veel persoonlijke aandacht nodig. Die aandacht moet gegeven worden door een (ex-)verloskundige, meent ze. 'Juist een verloskundige kent exact de stadia van de bevalling. Een psycholoog heeft meestal alleen theoretische kennis.'

• • • • • • • • • • • • • • • • • • • • • • • • • • • • • • • •

**Groepen zwangeren die extra gevoelig zijn voor angst en stress, zijn zwangeren**
- die eerder een gecompliceerde bevalling hadden
- die een miskraam meemaakten
- met psychische problemen
- met een slechte relatie met hun partner
- die weinig ondersteuning ondervinden[21]

**Goed om te weten!**

**Posttraumatische stress stoornis (PTSS)**

Jaarlijks zou 1 tot 6 procent aan haar bevalling een post-traumatische stress stoornis (PTSS) overhouden. Kenmerkend voor PTSS is dat je enerzijds lijdt aan flashbacks en anderzijds delen van de bevalling geheel kwijt kunt zijn. Andere kenmerken zijn: gevoelens van intense angst, hulpeloosheid, afschuw en soms nachtmerries, slecht slapen, je slecht kunnen concentreren en snel overmatig geprikkeld zijn. Heb je bovenstaande kenmerken, schroom dan niet om hulp te zoeken. Meer info en verhalen van andere vrouwen zijn te vinden op de Engelstalige site www.tabs.org.nz.

**Doen!**

Blijf niet zitten met angst. Vertel je angsten aan je verloskundige, huisarts of gynaecoloog. Eis dat ze er tijd voor vrijmaken. En voel je je niet gehoord, ga dan op zoek naar een zorgverlener die jouw verhaal wel serieus neemt.

Toch is er in de praktijk veel te weinig continue begeleiding. En verloskundigen zijn de eersten om dat toe te geven. Verloskundige Petra Blokker probeert er zo lang mogelijk bij te zijn. Soms blijft ze slapen. Maar dat is eerder uitzondering dan regel. 'Eigenlijk vind ik dat je er bij elke zwangere vanaf vier centimeter bij moet blijven. Misschien niet in dat slaapkamertje, maar wel bij haar in de buurt, thuis of in het ziekenhuis.' 'Maar het is eerder normaal dat je naar een zwangere gaat, toucheert en weer weggaat,' zegt Henriëtte van Wijk van stadspraktijk Groningen. 'Ik denk dat we echt weer terug moeten naar de situatie waarbij we langer bij de mensen zitten.' Dat is gemakkelijker gezegd dan gedaan. Verloskundigen hebben het naar eigen zeggen knoeperdruk. Van Wijk: 'Het komt voor dat je acht kraamvisites hebt op een dag en tussendoor ook nog een bevalling moet begeleiden. Dan heb je gewoon te weinig tijd voor die zwangere.' Van Wijk is niet de enige. Vroedvrouwen hebben het gevoel van hot naar haar te rennen; tijd voor zorgvuldige aandacht is er soms nauwelijks. Ze proberen het tij te keren, maar dit is de klacht: vroedvrouwen krijgen veel te weinig betaald voor wat ze doen. De 'caseload' van vroedvrouwen is veel te zwaar, meent KNOV vicevoorzitster Angela Verbeeten. 'Vroedvrouwen worden voor minstens 10 tot 20 procent van hun werk niet betaald.'

## Kraamzorg

Zet er dan langer een kraamverzorgende bij, zou je denken. Maar de kraamzorg kampt met fikse tekorten, geldgebrek en in een aantal gevallen met een gebrekkige organisatie. Waardoor kraamverzorgenden eerder te laat dan te vroeg bij een bevalling zijn. Inge Schotman (47) werkt al decennialang als kraamverzorgster. 'Ik word meestal opgeroepen bij zes à zeven centimeter ontsluiting. Maar ze houden geen rekening met de tijd die ik moet reizen. Het gevolg is dat ik vaak te laat komt, zeker bij tweede kinderen.' Een gemiste kans, meent ze. Een kraamverzorgster kan de zwangere op haar gemak stellen. 'Ik kan een potje thee zetten, een kruik geven of een lekkere voetenmassage, er voor de partner zijn als die zich onzeker voelt. Kleine dingen, maar oh zo belangrijk.'

**Goed om te weten!**

**Meer assistentie van de kraamverzorgende**

Sinds 2006 is er een nieuw protocol partusassistentie. Kraamverzorgenden mogen nu op indicatie tot vier uur assisteren tijdens de bevalling, zonder dat dit de rest van de kraamtijd in de weg zit. Als vroedvrouwen menen dat een zwangere erg angstig is, kan ze een kraamverzorgende al bij drie centimeter inroepen.

# Ziels alleen op de verloskamer

De zwangere die in de kraamkliniek of het geboortecentrum bevalt heeft het niet per definitie beter. Heleen beviel met een verloskundige in het ziekenhuis. 'Tijdens het persen is ze er de hele tijd bij gebleven. Maar tijdens de ontsluiting ging ze telkens weg. Ik had het prettiger gevonden als zij er meer bij was geweest. Omdat het wel eng was af en toe. De heftigheid. Ik dacht: is dit normaal? Scheur ik open, wat gebeurt hier? Als ze wat vaker was gekomen was ik meer gerustgesteld geweest. En dan wist ik ook hoe ver ik was.'

Maar klachten komen vooral van vrouwen die ingestuurd worden tijdens de baring. Esther beviel in 2003 van haar zoontje. Ze wilde graag thuis bevallen, maar haar vruchtwater was meconiumhoudend, dus moest ze naar het ziekenhuis. 'Ik heb daar moederziel alleen gelegen, met een heel heftige weeënstorm. Af en toe kwam er een co-assistent die riep: "Zet hem op" en dat was het.' De partner van Esther was er wel bij, maar die was, zo zegt ze, de weg kwijt. 'Hij kón ook niets doen.' Carina en Bas kregen in de zomer van 2008 hun eerste kind. Carina moest ingeleid worden en ging daarom in week 42 naar het ziekenhuis. Haar vriend Bas vertelt: 'We hadden van tevoren alles doorgenomen, wat onze wensen waren, enzovoort. Ik dacht: dat komt wel goed, maar nee dus.' 's Avonds kwamen de weeën en Carina en Bas mochten in de luxe kraamsuite. Carina: 'Ik kan me niet herinneren dat er iemand bij is geweest. Af en toe kwam er een verpleegkundige die de sfeer helemaal niet aanvoelde. Die riep dan: "Morgenstond heeft goud in de mond," dat soort clichés. Maar blijven deed ze niet.'

In hun boek *Preventive Support of Labour* geven gynaecologen Paul Reuwer en Henk Bruins het volmondig toe. Er klopt geen snars van die begeleiding in ziekenhuizen. 'Op een drukke verlosafdeling is het eerder regel dan uitzondering dat een barende herhaaldelijk en langdurig alleen wordt gelaten en te maken krijgt met steeds wisselende hulpverleners. Persoonlijke en continue een-op-eenbegeleidingen bij bevallingen is een kwaliteitseis waaraan nauwelijks een ziekenhuis in Nederland voldoet,' meldt Reuwer in 2009. Desinteresse is niet de reden, zo menen de auteurs. Verloskamerpersoneel is meestal zelfs erg toegewijd. Maar er is onderbezetting en de verpleging die er wel is wordt opgezadeld met werkzaamheden die 'niets met bevallingen van doen hebben, zoals consulten en echo's'.

## Ze ging gewoon weg

'Maar waarom blijft de eerstelijns verloskundige er niet bij?' vragen vrouwen zich af. 'Mijn verloskundige ging mee, deed de overdracht, zat nog even aan mijn bed en ging toen weg,' vertelt Esther verbijsterd. 'Dat vind ik zo'n rare regeling. Je bent uren met elkaar bezig. Het was een heel prettige vrouw, waarom dan niet in het ziekenhuis daarmee verder gaan?' En inderdaad. Als het gaat om een niet vorderende ontsluiting of meconiumhoudend vruchtwater volgt in veel gevallen een natuurlijke bevalling. Zo'n bevalling kan prima gedaan worden door de eigen verloskundige, zou je denken.

Het gebeurt wel. Soms doet de verloskundige zelf de 'lichte' gevallen. Maar ze geniet dan het vertrouwen van de dienstdoende gynaecoloog, want die is eindverantwoordelijk. En daar zit 'm de crux. Als de verloskundige niet in het ziekenhuis werkt, maar wel onder verantwoordelijkheid van de gynaecoloog, wie is er dan aansprakelijk als er iets misgaat?

Er zijn verloskundigen die de bevalling overdragen maar toch meegaan als steun en toeverlaat. De meiden van Geboortes & Zo proberen bij een niet vorderende uitdrijving altijd mee te gaan. Weina Pull ter Gunne: 'Ook al mogen we niets. De vrouw valt ineens in een gat. Er komen zoveel dingen op haar af, ze krijgt een infuus en bijstimulatie en een arts-assistent of gynaecoloog die alleen maar mevrouw zegt, terwijl wij haar al acht maanden kennen. Dan heeft ze onze psychische steun nodig.' Niet elk ziekenhuis is hier echter van gediend. Verloskundige Henriëtte van Wijk: 'Sommige verpleegkundigen van het ziekenhuis waar wij mee samenwerken willen niet dat wij blijven bij het insturen omdat zij dan geen contact kunnen maken met die vrouw.' Feit blijft dat vrouwen met nog maar twee centimeter ontsluiting en bijvoorbeeld meconiumhoudend vruchtwater – zoals Esther – het meestal zonder hun eigen verloskundige moeten uitzingen. Henriëtte van Wijk: 'Nee, dan kunnen we helaas niet meegaan.' En de meiden van Geboortes & Zo gaan in zo'n geval ook naar een andere zwangere. Weina Pull ter Gunne: 'Ik kan geen bevalling begeleiden waar ik geen verantwoordelijkheid in heb, terwijl een ander me nodig heeft.'

**Goed om te weten!**

Er zijn verloskundigen die garanderen dat ze de hele rit bij
je blijven. Je kunt ze op het internet vinden, vaak onder tref-
woorden als 'holistisch'. Aan die vipbehandeling hangt wel
een prijskaartje.

# Een doula

Er is een nieuwe groep in de niche van de baringsbegeleiding ge-
doken: de doula, Grieks voor dienende ofwel bevallingscoach.
Doula's zijn lekenvrouwen die zwangeren emotioneel en psycho-
logisch ondersteunen tijdens de baring. Om jezelf professioneel
doula te mogen noemen moet je een korte opleiding van vijftien
maanden volgen. Annieck Rietbergen is sinds anderhalf jaar ge-
certificeerd doula. Ze begeleidt vooral zwangeren van een eerste
kind. 'Vrouwen die doodsbang zijn. Of aanvoelen dat ze het met
hun partner niet gaan redden omdat hij te bang is.' De tweede
groep bestaat uit zwangeren die eerder een traumatische bevalling hebben meegemaakt. 'Vaak is er een medische ingreep geweest bij een eerste en hebben ze zich heel alleen gevoeld. Dat
komt best veel voor.' Als haar cliënte belt met de mededeling dat
ze weeën voelt, pakt Rietbergen haar tas en blijft ze erbij. 'Soms
ben ik er wel vijftien uur bij.'
Volgens Rietbergen kan de doula de verloskundige goed aanvul-
len. 'Ik werd een paar weken geleden gebeld door een verloskundigenpraktijk die wel met mij wilde samenwerken. Als zij omhoog zitten, bellen ze mij, zodat ik alvast een paar uur bij een
stel ben.' Deze samenwerking is een unicum. Dikwijls zien verloskundigen de doula als overbodig. In het tijdschrift voor verloskundigen werd de laatste jaren een pittig debat over het feno-

meen gevoerd. Wij kunnen zelf die continue zorg op ons nemen, mits we daar maar voldoende tijd en geld voor krijgen, is de gedachte van de vroedvrouwen. Mariël Croon, ex-verloskundige, journalist en uitgeefster van *Het doulaboek* begrijpt de kritiek ergens wel, maar vindt het 'ontzettend jammer' dat de doula zo slecht ligt bij de beroepsgroepen. Ze is grondig overtuigd van de voordelen ervan. 'Ik dacht aanvankelijk ook dat we dat in Nederland niet nodig hadden. We hebben een heel ander systeem dan in de VS. Totdat ik de cijfers zag van vrouwen in een laag-risicopopulatie met en zonder doula. Toen dacht ik: we moeten het hoofd buigen. Zoveel meer spontane bevallingen, zonder pijnstilling en interventies. Zulke cijfers heb ik hier nog niet meegemaakt.'

Blijft de vraag wat vrouwen van de doula vinden. Op zwangerenfora als Mamma's hoekje scoort de doula vooral goed bij vrouwen met bevalangst. Anderen willen juist iemand die medisch onderlegd is, die ze kan vertellen hoe ver ze staan. Weer anderen vragen zich af wat de rol is van de partner in het hele doulagebeuren. 'Hoezo doula,' zegt de zwangere Mathilde. 'Mijn vriend is mijn doula.' In het *Tijdschrift voor Verloskundigen* van september 2006 trekt een vader onder de titel 'Doula? Amehoula!' flink van leer tegen de doula. 'Worden de bedklossen vervangen door tribunes en mag de vader daarop plaatsnemen?' vraagt hij boos. 'Weg met die doula's,' meent de man, die overigens partner van een vroedvrouw is. Een bevalling is een emotioneel gebeuren van de aankomende ouders. En niet de doula, maar de verloskundige is er om dat proces te begeleiden. 'Doula's kunnen het sociale proces verstoren, mannen buitenspel zetten of een excuus geven om niet echt deel te nemen aan het proces van zwangerschap en baring.' Doula Annieck Rietbergen schudt hierover het hoofd. 'Wij proberen het beste uit de vader naar boven te halen. Maar het is voor de vader bij een eerste kind natuurlijk net zo nieuw als voor de moeder. Daarom kan hij eveneens steun gebruiken.'

### Goed om te weten!

Een doula wordt (nog) niet betaald door je zorgverzekeraar.

### Meer weten over de doula?

*Het doulaboek*, Marshall H. Klaus e.a., Thoeris, Amsterdam
Op de website www.doula.nl kun je zien waar je in jouw buurt een doula kunt vinden en hoe je er zelf een kunt worden.

## De geboorte van Maseray

Verloskundige Govi Hoskam belt me op zondagmiddag. Het is half een. Of ik naar het ziekenhuis wil komen. Een vrouw gaat bevallen van haar tweede kind. Te vroeg: ze is 36 weken en 3 dagen zwanger. Pas bij 37 weken mag je thuis bevallen. Maar, zo verwacht Hoskam, het gaat een natuurlijke bevalling worden. En ik mag erbij zijn. Ik vlieg mijn auto in; een tweede kan er zomaar uitrollen. Tien minuten later sta ik in de witte gang. Verpleegsters in witte jassen lopen af en aan. Hoskam praat met de gynaecologe achter de receptiebalie. Bij zo'n premature geboorte is de gynaecoloog eindverantwoordelijk. Maar die vindt het goed dat Hoskam de bevalling begeleidt. Voor het geld hoeft Hoskam het niet te doen – als ze een zwangere instuurt tijdens de baring krijgt de verloskundige het hele bevallingstarief vergoed, zelfs als een tweedelijner het afmaakt. Maar Hoskam wil het graag zelf doen.

Daniëlle, de aankomende moeder, ligt in een bad in een van de kamers. Een donkere Afrikaanse man met een zilverkleurig fototoestel in zijn hand, komt met rustige pas naar mij en de verloskundige toelopen. 'De vliezen zijn gebroken,' zegt hij, waarna hij zich aan me voorstelt. Babah, de vader.

De verloskamer is ruim, met in het midden een wit, strak opgemaakt bed. Voor de grote ramen ijsbeert een oudere vrouw op en neer terwijl ze op haar lip bijt: Daniëlles moeder. 'Het is wel spannend,' zegt ze met een vleugje angst in haar blauwgrijze ogen. Daniëlle komt binnen vanuit het bad, een grote witte badhanddoek om haar lijf geslagen. Ze kreunt, maar wipt lenig op het bed. Ze zucht een wee weg. 'Het komt.' Govi Hoskam trekt haar handschoenen aan en zegt rustig: 'Dat is goed. Laat maar komen.' Daniëlle perst, met gesloten ogen, zonder veel geluid. 'Daar zijn de haartjes al,' zegt Govi met zachte stem. Daniëlle geeft geconcentreerd nog een duw. En daar glijdt een wittig, klein meisje naar buiten. De navelstreng is een keer om het nekje gedraaid. Hoskam haalt het met een snelle beweging over haar hoofdje. 'Hoe noemen jullie haar,' vraagt Hoskam. Daniëlle glimlacht: 'In Afrika geven ze het kind de eerste week nog geen naam.' Ze kijkt naar Babah: 'Baby, heet ze. Baby Tarawally.' Geruisloos, met een perswee, komt de moederkoek naar buiten. Compleet heel, nog in de vliezen. Babah mag de navelstreng doorknippen. Het meisje, een hoofd vol donkere haartjes, krijgt een wit mutsje op en vlijt zich tegen Daniëlles borst.

De vroedvrouw omhelst Daniëlle. 'Gefeliciteerd,' zegt Hoskam naar goed gebruik: een geboorte is pas ten einde als ook de placenta heel en wel eruit is. Ze houdt de doorzichtige vrucht- zak met de taaie witgrijsblauw geaderde navelstreng omhoog. Onder in de zak hangt een rode stevige placenta. 'Kijk,' wijst ze met een handschoenvinger. 'Hier zat ze in, jullie meisje, en hier zat de placenta vast aan de baarmoederwand.' Vader en moeder kijken met verwondering. 'Mooi hè,' zegt Hoskam, niet zonder emotie. En ze legt de moederkoek in de prullenmand. Daniëlles moeder buigt zich over haar dochter en kleindoch- ter. Ze huilt. Babah omarmt zijn vrouwen. Dan richt hij zich aarzelend tot Hoskam. 'De placenta?' vraagt hij. 'We willen hem graag meenemen naar huis.' Hoskam vist de moederkoek weer uit de prullenemmer. 'Geen probleem.'

Zes weken later zie ik Daniëlle in haar woning, een klein rimpe- lig meisje in haar armen. Daniëlle zoent het kind op haar don- kere haartjes. 'Zie je hoe ze gegroeid is?' In de boekenkast staat een foto van haar oudste dochtertje van twee. Ook zij was te vroeg, twee weken. 'Ik had net klossen gehaald en toen begonnen de weeën.' Daniëlle had nog niets gelezen over het opvangen van weeën. Echt druk maakte ze zich er niet om. 'Hoeveel je ook leest, je weet bij een eerste toch niet wat het is.' Toevallig had Govi Hoskam toen ook dienst. 'Zij gaf aanwij- zingen, ik volgde ze op en na vier persweeën was ze er.'

Vond ze het jammer dat ze bij de tweede niet thuis kon bevallen? 'Jawel,' zegt ze aarzelend. 'Op het moment dat ik hoorde dat we naar het ziekenhuis moesten, vond ik het heel teleurstellend, maar ik heb me er heel snel bij neergelegd: als het zo is, dan is het zo.' Ze was wel heel blij dat Hoskam er weer bij was. 'Ze is heel rus- tig en duidelijk, zonder poespas. Ze kan een stap achteruit doen als het moet, maar ze is er ook als je haar nodig hebt.'

Daniëlle en Babah begroeven de moederkoek in de tuin. 'Mijn vriend komt uit Sierra Leone. Bij hen is dat traditie. Daar waar je moederkoek ligt, is je thuis.' Ze deden dat tijdens de naamgevingceremonie. 'Na zeven dagen maak je de naam bekend met een groot feest en eten.' Hoe het kindje heet? Ze kijkt naar het zacht ademende, in elkaar gerolde kindje op haar schoot. 'Maseray, naar de moeder van mijn vriend.'

# 12.

## Baas over eigen plek?

*Hebben zwangeren eigenlijk wel een vrije keuze?*

Het wordt regelmatig van de daken geschreeuwd. In Nederland heb je de keuze: je kunt in eigen bed bevallen of in de (kraam)kliniek. Natuurlijk is er altijd een kans dat je vanwege een medische complicatie in het ziekenhuis belandt, zeker bij een eerste. Maar in principe heb je als gezonde zwangere de vrijheid. Volgens Beatrijs Smulders is dat een groot goed. 'Je wilt niet weten wat voor armoede het in landen als Duitsland, Engeland of Frankrijk is als het gaat om bevallingen. Vrouwen krijgen er standaard pijnbestrijding, het zijn legbatterijen, vooral in Duitsland. Iedereen verbaast zich in die landen over de keuzemogelijkheden die vrouwen hier hebben. Want in Nederland wordt niemand gedwongen om thuis te blijven. Je kunt thuis, poliklinisch, met of zonder pijnbestrijding, in een verloskundig centrum of in de kraamkliniek bevallen: wat je maar wilt.' Ook de KNOV heeft deze visie. 'Voor ons is de thuisbevalling niet heilig,' stelt vicevoorzitter Angela Verbeeten. 'De plaats van bevallen moet een vrije keuze zijn op basis van eerlijke informatie.'

## Weerbarstige praktijk

Het zijn mooie woorden. Toch vinden ze in de praktijk lang niet overal weerklank. In verschillende delen van het land *kunnen* vrouwen niet thuis bevallen, al zouden ze willen. In 1998 verdween de afdeling verloskunde in het ziekenhuis van Zierikzee, Schouwen-Duiveland. Daarmee werd op verschillende plekken op het eiland de afstand naar het ziekenhuis drie kwartier of langer. De huisartsen die altijd thuisbevallingen deden op het eiland – er waren geen verloskundigen – vonden thuis bevallen onverantwoord. In 2007 vestigde Verloskundige Praktijk Lena zich in Zierikzee. Vroedvrouw Sanne Meerdink: 'Wij gingen altijd naar de polikliniek met onze cliënten. Maar we hoorden steeds weer: we willen graag thuis.' De twee verloskundigen durfden het echter pas aan toen een Zierikzeese moeder er bijna om smeekte. Monika van der Pluijm kreeg haar eerste thuis, in Rotterdam. 'Toen wij naar Zierikzee verhuisden en ik hoorde dat je daar niet thuis kon bevallen, wilde ik niet meer zwanger worden. Zo erg vond ik dat. Maar vanaf Zierikzee duurt het twintig minuten voordat je in het ziekenhuis bent, dus wettelijk gezien mag het wel.' Van der Pluijm vond de dames van Lena bereid haar te begeleiden. Toch leggen Meerdink en haar collega een duidelijke grens. Voorlopig begeleiden ze alleen multiparae die een goede eerste bevalling hadden. En ze beperken zich tot Zierikzee, omdat daar een ambulance staat. 'Mensen in andere dorpen hebben pech. We willen geen enkel risico nemen.'

Huisarts Bart Molenaar deed tot januari 2008 bevallingen in Graft-De Rijp, een gebiedje tussen Alkmaar en Purmerend met zo'n vijfduizend inwoners. Er bevallen daar zo'n veertig vrouwen per jaar. In het gebied zitten geen verloskundigen. Die zijn er wel in Purmerend of Alkmaar, maar vanaf daar kunnen ze niet overal in het gebied binnen de vijftien minuten zijn, een vuistregel voor verloskundige zorg. Molenaar deed de bevallingen per toerbeurt met zes andere huisartsen, maar die hielden er in 2007 mee op. 'Het percentage bevallingen dat ze begeleidden daalde tot onder de vijftien per jaar en dat vonden ze onverantwoord.' In zijn eentje bevallingen doen naast een huisartsenpraktijk is Molenaar te veel. En dus kan er ook in Graft-De Rijp niet meer thuis bevallen worden.

Aan de andere kant zijn er plekken in Nederland waar je in de praktijk slechts met ingewikkelde bokkensprongen poliklinisch kunt bevallen. Puur omdat de afstand naar het ziekenhuis groot is. Als je op een van de Waddeneilanden woont bijvoorbeeld, is een natuurlijke bevalling in de polikliniek wel een erg ingewikkeld verhaal (zie 'Baren op Terschelling', bladzijde 146).

## Van klein naar groot

Steeds meer ziekenhuizen fuseren of stoten verloskundige afdelingen af. De belangrijkste reden daarvoor is dat er te weinig bevallingen zijn om de afdeling rendabel te houden. Deze schaalvergroting is goed voor de kwaliteit van de verloskundige zorg, meent een groep professionals en hoogleraren. Zij vinden dat het aantal ziekenhuizen met een verloskundige afdeling (circa negentig in 2008) teruggebracht moet worden naar veertig, want dan is het financieel op te brengen om ziekenhuizen 24 uur per week uit te rusten met alle benodigde specialisten. Een vermindering van het aantal ziekenhuizen heeft echter consequenties voor de thuisbevalling. Want als zwangeren niet binnen 45 minuten in een ziekenhuis met een gynaecoloog, operatiekamer, anesthesist en kinderarts kunnen zijn, is het onverantwoord om thuis te bevallen. Pleitbezorgers van het behoud van de thuisbevalling wijzen erop dat dan tevens de hoog-risico-zwangeren te ver van een ziekenhuis zitten.

## Geld voor de kliniek

Thuis is gratis. Voor een poliklinische bevalling betaal je. Als je geen aanvullende verzekering hebt, kan dat bedrag oplopen tot zo'n paar honderd euro. En dat is voor sommige vrouwen een hoog bedrag. Verloskundige Imen Anwar begeleidt veel allochtone vrouwen in Amsterdam-West. 'Allochtone vrouwen bevallen liever gratis thuis dan dat ze 400 euro neertellen.' Maar de keuze voor eigen bed is niet van harte. 'Sommige mensen hebben echt heel weinig geld.' Ze weet dan ook zeker dat een groep die nu thuis bevalt, naar het ziekenhuis zou gaan als dat gratis zou zijn.

### Cijfers & Onderzoek

In 2007 bestond een groepspraktijk gemiddeld uit 3,5 vroedvrouwen. Het aantal groepspraktijken stijgt nog steeds. Tien jaar geleden bedroeg het aantal groepspraktijken 44 procent, in 2007 was dat tweederde van het totale aantal van 484 verloskundigenpraktijken. Het percentage solopraktijken laat juist een afname zien: van 24 procent in 1997 tot 16 procent in 2007.[22]

## Doen!

### Ga shoppen

In de praktijk gaan verloskundigen nogal eens anders om met jouw keuze voor de bevallingsplek. Zo breken sommige praktijken en huisartsen voortijdig de vliezen als de zwangere over tijd is, zodat de kans groter is dat je alsnog thuis kunt bevallen. In de ene praktijk mag je wel bevallen op drie hoog. De ander riskeert dat niet. Zeker in de grote steden is het mogelijk om te shoppen tussen verschillende verloskundigenpraktijken. Vraag of de verloskundigenpraktijk van jouw keuze staat ingeschreven in het kwaliteitsregister van de KNOV. Dat geeft een basisgarantie qua kwaliteit. Tegenwoordig mag je zonder verwijzing van je huisarts naar een verloskundige van je keuze, mits deze maar binnen een kwartier bij je kan zijn. Indien je zelf op zoek gaat naar een verloskundige, kijk dan of ze een contract heeft met jouw zorgverzekeraar, anders kan het problemen geven om de zorg vergoed te krijgen.

# Sociale druk

'Op iedere zwangerschaps-yogales, iedere bevallingscursus, in iedere baarbijbel en in ieder babyblad worden wij erop gewezen dat thuis bevallen zoveel beter is. Wie met hoogzwangere buik vertelt in het ziekenhuis te willen bevallen, krijgt het ene horrorverhaal na het andere te horen over ziekenhuizen en de kwezels van gynaecologen die niets van het bevallen begrijpen.' Thrillerauteur Saskia Noort schreef dit in 1996, een tijd waarin je volgens Noort maar ook volgens anderen voor gek werd verklaard als je het in het ziekenhuis wilde proberen.

Meer dan tien jaar later lijkt de keuze voor een poliklinische bevalling veel meer geaccepteerd. Maar toch voelen sommige vrouwen naar eigen zeggen een druk om thuis te bevallen. Hester: 'Op zwangerschapsyoga keken ze iemand die in het ziekenhuis wilde bevallen toch wel raar aan.' De Servische Jelena beviel in 2008 van haar eerste. Ze vond dat ze haar omgeving en de sociale codes die in Nederland heersen een stempel drukten op haar keuze. 'Nederlandse vrienden zeiden: "Je kunt het aan." De verloskundige zei: "Je hoeft nu niet te beslissen." Ik voelde overal dat het leuker zou zijn als ik thuis zou kunnen bevallen.'

Soms lijkt het alsof je als aanstaande zwangere moet kiezen voor een kamp; dat van de thuisbevallers of van de ziekenhuisbarenden. Toen journaliste en columniste Sylvia Witteman in 2003 in *de Volkskrant* onder de titel 'Wie verlost Nederland?' het Nederlandse systeem van de thuisbevalling op haar donder gaf, stroomden de opiniepagina's vol met vervloekingen maar ook loftuitingen. 'Eindelijk weer eens iemand die onze achterlijke bevallingscultuur ter discussie durft te stellen,' schreef een vrouw. 'Het was vast een zware bevalling voor je om zo'n negatief stuk te schrijven over de thuisbevalling in Nederland,' meende een andere vrouw.

Blijkbaar heeft elke – aankomende – ouder een mening over de beste plek van bevallen. Soms dringen ze die op aan een ander. Als je als zwangere nog nooit een bevalling hebt meegemaakt en emotioneel en labiel bent door de hormonen kun je daar angstig door worden. En dat is niet zo best. Want uit onderzoek blijkt dat angst negatief werkt op je weeën. Die kunnen door te veel angst en spanning wegvallen.

**Doen!**
Probeer je niet te laten beïnvloeden door wat anderen zeggen. Baseer je op feiten en laat je eigen gevoel prevaleren.

# Schijnkeuze

Verloskundigen en gynaecologen hebben dikwijls ook hun eigen mening over wat de beste plek zou zijn om te baren. Verloskundigen zijn door de bank genomen pro-thuisbevallen. Gynaecologen menen nogal eens dat je zeker bij een eerste kind beter in het ziekenhuis kunt beginnen. Die standpunten nemen ze mee in hun benadering van bevalling en zwangere, ook al wordt er naar de buitenwereld neutraliteit verkondigd. Rebekka Visser van de Groningse verloskundigenpraktijk Eva geeft ruiterlijk toe pro-thuisbevalling te zijn. 'Ja, ik ben daar bepaald niet neutraal over. Maar ik hoop wel dat mijn klanten dat niet merken. Sterker nog; ik zou me schamen als dat wél zo was, omdat ik het een essentieel onderdeel van een goede beroepsuitoefening vind dat mijn eigen visie ondergeschikt is aan de zorgvraag van een vrouw.'
Toch voelen vrouwen en hun partners zich nogal eens door hun verloskundige onder druk gezet om thuis te blijven. Henk Hanssen van de website IkVader: 'Mijn indruk uit eigen ervaring en wat ik ook meekreeg van veel vaders van de website is dat je een soort schijnkeuze aangeboden krijgt. In feite zegt de verloskundige: "Je vrouw gaat thuis bevallen." Daar wordt heel lang op aangestuurd, tot voorbij de negende maand. Ze zeggen wel: je zou kunnen nadenken over het ziekenhuis, maar dan komt er altijd een maar... denk aan dit en ja thuis, dat is gemakkelijk, comfortabel. Dan wordt dat hele riedeltje weer afgespeeld. Het is altijd dat thuis bevallen, dat staat voorop. Er wordt je geen faire

keuze voorgelegd.' Marjolein beviel van haar eerste en tweede kind bij twee verschillende verloskundigenpraktijken. 'Je voelde bij beide dat ze liever thuis wilden. Officieel kreeg je die vrije keuze wel, maar heel onzichtbaar werd je een bepaalde kant op gemanoeuvreerd, namelijk die van thuis, zonder pijnbestrijding.' En Daniëlle zei bij de eerste, maar ook bij de tweede controle met klem dat ze in het ziekenhuis wilde bevallen. 'Beide keren veegde de vroedvrouw dat aan de kant met de mededeling: "Daar hebben we het nog wel over." Ik voelde me niet serieus genomen.'

Het Nederlands verloskundig systeem is ingericht op thuis. Terwijl je in het buitenland moeite moet doen om thuis te mogen blijven, kun je hier – bij een eerste – pas bij minimaal vijf en meestal rond de zeven centimeter het ziekenhuis in. Je neemt anders een bed in van iemand die dat harder nodig heeft. Soms lijkt het alsof de vroedvrouw misbruik maakt van dit gegeven. Nicole overwoog voor de bevalling van haar eerste 'geen seconde' om thuis te bevallen. 'Daar was de verloskundige van op de hoogte.' De bevalling verliep voorspoedig. Toen Nicole zo'n zes centimeter ontsluiting had, vroeg de vroedvrouw of ze – nu het allemaal zo goed ging – niet toch thuis wilde bevallen. Nicole: 'Tja... buiten regende het en ik dacht: als het zo goed gaat is het misschien niet meer de moeite om naar het ziekenhuis te gaan...?' Helaas ging het tijdens het persen mis. 'De harttonen herstelden tussen de weeën niet goed. We moesten alsnog naar het ziekenhuis waar bleek dat er een knoop in de navelstreng zat.' Ze begrijpt dat de vroedvrouw haar alsnog heeft doorgestuurd naar het ziekenhuis. 'Ik had niet het idee dat het anders was gelopen als ik er al was geweest.' Maar ze meent wel dat ze geen vrije keuze heeft gehad in de plek waar ze wilde bevallen. En dat maakt haar kwaad. 'Hoe kun je nu aan iemand die aan het bevallen is vragen of ze niet toch liever thuis wil blijven. Op zo'n moment kun je gewoon geen weloverwogen beslissingen nemen.'

Ook Marjolein voelde zich gestuurd. Bij de eerste wilde ze aanvankelijk thuis. De bevalling viel echter bar tegen. Marjolein had veel pijn, was doodsbenauwd. 'Ik was alleen maar aan het huilen en riep: Ik wil dood. Ik ben bang.' Haar verloskundige gaf haar homeopathische pilletjes, maar de vraag of ze naar het ziekenhuis wilde, werd niet gesteld. 'Terwijl ik zes centimeter ontsluiting had en het toen nog had gekund.' Marjolein had de indruk dat haar vroedvrouw wilde dat ze thuis bleef. 'Er was een Belgische stagiaire bij. Die zei nog dat ze het zo leuk vond dat iedereen in Nederland thuis wilde bevallen. "Maar in België krijgt tenminste iedere zwangere pijnbestrijding," riep ik toen pissig.' Pas toen Marjolein persweeën had en de baring niet wilde vorderen, begon de vroedvrouw over het ziekenhuis. Marjolein: 'Maar toen wilde *ik* niet meer. Ik zat drie hoog, zonder lift, ik wilde die trappen niet af. Ik kroop over de gang, zo'n pijn had ik.' Toch moest Marjolein de auto in. Eenmaal in het ziekenhuis werd ze aan een infuus met oxytocine gelegd. Ze kreeg een gezonde dochter.

Na deze ervaring wilde ze van de tweede in de kliniek bevallen en vertelde dat ook, dit keer aan een verloskundige van een andere praktijk. 'Maar hoe dichter de bevalling naderde hoe meer de vroedvrouw zei: "We zien wel waar je gaat bevallen." En toen dacht ik: 'Hé, maar ik heb zo op dat ziekenhuis gehamerd. Ze was elf dagen over tijd en liet zich in de praktijk strippen. Dat was om drie uur 's middags. 's Avonds om negen uur zette de bevalling door. 'Toen de verloskundige kwam zei ik: "Ik wil nu naar het ziekenhuis." Zij besliste anders: "Als ik jou zie, gaan we dat niet meer redden." Ik zei nogmaals: "Ik wil nu naar het ziekenhuis." Maar ze was heel resoluut: "Nee"...' Binnen een uur was de tweede geboren: thuis. Marjolein: 'Uiteindelijk was het een superbevalling. Maar toch: in beide gevallen heb ik niet de controle over mijn eigen bevalling gehad en dat vond ik heel vervelend.'

### Goed om te weten!
#### Zwanger via ivf?

Uit onderzoek blijkt dat een deel van de zwangeren die thuis hadden mogen bevallen, zijn blijven 'plakken' bij de gynaecoloog. Dit gebeurt regelmatig als vrouwen zwanger raken via ivf. Als je behandeld bent wegens onvruchtbaarheid en zwanger raakt, mag je gewoon bij de verloskundige onder controle en thuis bevallen.

## Vertrouwen

Maar moet de vroedvrouw of huisarts wel – altijd – luisteren naar jou of je partner? In het *Tijdschrift voor Verloskundigen*, het vakblad van verloskundigen, schreef een verloskundige in 2006 over een mevrouw die kerngezond was, maar bij een lengte van 1,65 meter een gewicht van 105 kilo met zich meesleepte. Ze woonde op de tweede verdieping van een flat zonder lift. De vrouw wilde thuis bevallen en stampvoette toen bleek dat de verloskundige dat onverantwoord vond. Ze beviel poliklinisch. 'En ja, misschien had de bevalling ook thuis plaats kunnen vinden,' piekert de verloskundige hardop in het artikel. 'Maar wat, als het fout was gegaan?'

In Femkes familie bevielen de vrouwen supersnel, ook van de eerste. Femke wilde bij haar eerste per se in het ziekenhuis bevallen. 'Dat vond ik gewoon het fijnste.' Maar ze was wel als de dood dat ze het ziekenhuis niet ging halen. 'Je moest bellen als je twee uur lang om de drie minuten weeën had. We belden, maar de verloskundige had een andere bevalling. Over een uurtje zou ze komen. Ze dacht waarschijnlijk: ach, het is een eerste, dat duurt nog wel even. Maar de weeën kwamen sneller en sneller. We hebben nog drie keer de verloskundige gebeld, maar ze kwam niet. Op een gegeven moment zei ik tegen mijn man: "Ik wil nu naar het ziekenhuis." We woonden in een bovenwoning. Toen ik halverwege de trappen was, kreeg ik al een perswee. Terwijl ik in de auto ging zitten, belde mijn man het ziekenhuis. Maar daar zeiden ze: "Je mag niet komen, want de verloskundige moet eerst toestemming geven." Die kwam tien minuten later. Ik zat nog steeds voor ons huis in de auto, het was inmiddels half negen in de ochtend. Ze toucheerde en ik had tien centimeter ontsluiting. Maar ik had nog geen vruchtwater verloren. Ze zei: "Ik wil eigenlijk dat je nu naar binnen gaat." Maar ik wilde naar het ziekenhuis. Daar stemde ze mee in.' Een tricky keuze, want toen Femke op weg was, kwamen ze vast te zitten in het verkeer. Eenmaal in de verloskamer, is haar dochter na vijf keer persen geboren. Achteraf hoorde Femke dat de collegae van haar vroedvrouw de rit naar het ziekenhuis onverantwoord hadden gevonden. Femke: 'Ik was blij met haar keuze. Maar ik dacht wel: eigenlijk hebben ze gelijk. Het was misschien niet zo slim om te gaan rijden.'

Verloskundigen staan vaker voor dit soort dilemma's. 'Ja, heel lastig,' vindt vroedvrouw Weina Pull ter Gunne. 'Zeker bij een eerste kind weten vrouwen niet wat er gaat komen. Je kunt veel uitleggen, maar soms moet je iets ervaren voordat je het snapt. Dat is lastig communiceren. Want sommige zwangeren willen alles weten en doen en dat kan niet altijd. Dan zou ik willen uitschreeuwen: ik heb het beste met je voor, vertrouw me nu maar.'

Maar misschien is dat het nu juist waar het soms aan schort. Tijdens de zwangerschap van haar eerste had Annemieke bij haar verloskundige aangegeven dat ze graag thuis wilde bevallen. Maar ze had ellendig langdurige en pijnlijke voorweeën. Bijna anderhalve dag lang probeerde ze die thuis op te vangen. 'Pas toen ik totaal uitgeput was, stuurde ze me naar het ziekenhuis,' vertelt Annemieke. 'Ze zei later dat ze het zo had gedaan omdat *ik* zo graag thuis wilde.' Annemieke is er nog steeds boos over. Je moet er als zwangere op kunnen vertrouwen dat deskundigen voor jou de beste keuze maken, zelfs als dat ingaat tegen wat jij misschien in eerste instantie had gewild. Annemieke: 'En dat reken ik ze aan. Dat ze daarin niet professioneel gehandeld hebben.'

∙ ∙ ∙ ∙ ∙ ∙ ∙ ∙ ∙ ∙ ∙ ∙ ∙ ∙ ∙ ∙ ∙ ∙ ∙ ∙ ∙ ∙ ∙ ∙ ∙ ∙ ∙ ∙ ∙ ∙ ∙ ∙ ∙ ∙ ∙ ∙ ∙ ∙

### Belangenvereniging voor 'bevallers'

Wie behartigt de belangen van de groep bevallers in Nederland? Immers, er is geen groep die constant zwanger is en kan opkomen voor jouw belangen. Toch is er in maart 2008 een vereniging voor zwangeren en ouders opgericht, met de naam *het OuderSchap*. Voorzitster is Rachel Verweij, moeder van twee kinderen, journaliste en draagconsulent; ze helpt ouders op weg bij het gebruik van een babydrager. Het OuderSchap wil de – politieke en maatschappelijke – belangen behartigen van *alle* zwangeren. Volgens Verweij staat de vereniging noch in het thuisbeval-, noch in de pro-ziekenhuiskamp. 'Wij proberen overkoepelend te zijn.' Een moeilijke taak in een landschap waar zoveel tegengestelde belangen, meningen en opvattingen zijn. Gaat de vereniging zich bijvoorbeeld sterk maken voor een 24-uursgarantie van pijnbestrijding in alle ziekenhuizen? 'Zeker wel', meent Verweij. 'Want dat is een recht voor alle zwangeren.' Maar of het Ouder-Schap zich ook hard gaat maken voor de afschaffing van de ziekenhuisbijdrage, daar heeft Verweij nog geen antwoord op. *Meer info: www.hetouderschap.nl*

# Natuurlijk: geen keizersnee

*Het begon met de bevalling van hun eerste dochter. Jeanette wilde in het ziekenhuis bevallen. Ze begon thuis tot haar vliezen braken. Eenmaal in het ziekenhuis wilde het kind er niet uit. Roelof: 'Het was spitsuur met bevallingen. Een assistent-gynaecoloog probeerde het met een vacuümpomp, maar hij "plopte" vijf keer mis. Toen kwam er eindelijk een gynaecoloog en die trok het kind er in één keer uit.' Jeanette was ingescheurd en de dienstdoende verloskundige probeerde haar te hechten. Ze had een 'spuitertje': een adertje dat niet dicht wil gaan. En haar baarmoeder wilde niet krimpen. Ze bleef maar bloeden van binnen. De verloskundige masseerde haar baarmoeder, maar dat hielp niet. Roelof: 'Jeanette zakte steeds verder weg. Ik had steeds minder contact met haar.' Tot er een chirurg binnenkwam. Die stuurde Jeanette regelrecht naar de ok. Daar hechtte hij haar en het bloeden hield op.*

*De gebeurtenis zonk daarna weg in het geheugen. Jeanette: 'Ik was zo gelukkig met mijn kind.' Maar de klap kwam toch, vier weken later. Jeanette: 'Een collega vroeg naar mijn beval-*

ling. Terwijl ik aan het vertellen was, kreeg ik het benauwd van angst.' Roelof en Jeanette wilden een tweede kind. Maar ze twijfelden. Jeanette: 'Ik was zo bang om weer hetzelfde mee te maken.' Toch besloten ze om er voor te gaan. Toen Jeanette zwanger was, gingen Roelof en zij naar de verloskundige voor een controle. Jeanette: 'Ze vroeg hoe de vorige bevalling was verlopen. Tijdens dat gesprek werd ik misselijk.' De verloskundige belichtte alle kanten van de zaak en vertelde wat ze wel en niet zouden kunnen doen. Jeanette: 'Niets dan lof over haar. Ze stuurde ons geen enkele kant op.' Maar hoe meer de bevalling naderde, hoe angstiger Jeanette werd. Roelof en Jeanette besloten op advies van hun verloskundige in week 32 naar de gynaecoloog te gaan, met de vraag hoe Jeanette het beste kon bevallen. Roelof: 'Zijn advies was: ga maar gewoon natuurlijk bevallen.' Teleurgesteld gingen de twee naar huis. 'De moed zakte Jeanette de weken daarna steeds verder in de schoenen. Ze moest heel veel huilen, kon niet slapen en viel kilo's af.' Twee weken voor de bevalling kwamen ze weer bij de gynaecoloog en vroegen ze om een keizersnee. De gynaecoloog weigerde. Roelof: 'Bij een natuurlijke bevalling was er minder kans op complicaties en dus moesten we het eerst zo proberen.' Jeanette begon tijdens dat gesprek te huilen. De gynaecoloog verwees haar door naar een psycholoog. Jeanette: 'Ik ben een paar keer geweest, maar ik had niet het idee dat het hielp.' Jeanette werd steeds angstiger. Uiteindelijk overtuigde hun verloskundige de gynaecoloog dat een keizersnee echt het beste was. Roelof: 'Maar we moesten nog wel naar hem toe. Hij wilde het uit onze mond horen.' Na die uitspraak werd er een datum geprikt. Op die dag werd hun tweede kind geboren. Jeanette: 'Ik ben zo opgelucht dat we het uiteindelijk toch op die manier konden doen.'

# Uitleg van begrippen

**Amniotomie**: Het voortijdig breken van de vliezen. Dit stimuleert de productie van prostaglandine, een hormoon dat de weeën bevordert.

**Ctg (CardioTocoGram)**: Met een ctg-apparaat wordt tijdens de zwangerschap of bevalling het welzijn van de ongeboren baby gemonitord, zodat foetale nood ontdekt kan worden. Het apparaat bestaat uit twee onderdelen: de *tocometer* registreert de contracties (de weeën), de *tachymeter* registreert de harttonen van de baby. Een abnormale hartslag kan een teken zijn van benauwdheid. Een ctg kan uitwendig gedaan worden; in dat geval krijg je twee elastische riemen om je buik. Tijdens de bevalling kan een ctg ook inwendig gedaan worden met een schedelelektrode op het hoofd van de baby. Soms wordt daarnaast een druklijn in de baarmoeder bevestigd om de weeënkracht vast te leggen. De resultaten van de ctg-metingen worden in een grafiek weergegeven.

**Fluxus**: Na een normale bevalling verlies je gemiddeld ongeveer 400 ml bloed. Bij een fluxus is dat meer dan 1000 ml bloed binnen 24 uur. Meestal gebeurt dit overigens niet verspreid over die 24 uur maar binnen 2 uur. Een fluxus is een ernstige complicatie. Het komt voor bij circa 4,5 procent van alle zwangeren.

**Foetale nood**: Foetale nood treedt op wanneer er onvoldoende zuurstoftoevoer naar het kind is. Dit kan zowel tijdens de zwangerschap als tijdens de bevalling gebeuren. De oorzaak van foetale nood tijdens de bevalling is meestal onbekend.

**Forceps**: Tang bij een tangverlossing. Een verlostang bestaat uit twee metalen 'lepels' of bladen, die elk precies om de zijkant van het kinderhoofd passen. Op de overgang van de bladen met de steel zit een verbindingsstuk met een handvat, waarmee de gynaecoloog het kind tijdens de weeën zacht naar buiten kan 'trekken'. Inclusief de steel zijn de lepels 35 tot 40 cm lang (zie ook vacuümextractie).

**Groep B-streptokokken**: De 'groep B-streptokok' is een bacterie die één op de vijf zwangeren bij zich 'draagt', meestal in de vagina. Op de 200.000 bevallingen jaarlijks worden ongeveer 250 – 300 kinderen ziek. Ongeveer 5% daarvan overlijdt aan de infectie. Als een zwangere vrouw 'draagster' is van GBS, kan het kind besmet worden na het breken van de vliezen. Omdat de kans daarop groter is naarmate de vliezen langer gebroken zijn, sturen vroedvrouwen je na 24 uur door naar het ziekenhuis. Daar kan een kweek gemaakt worden om te kijken of je een GBS hebt. In uitzonderlijke gevallen vindt infectie plaats zonder dat de vliezen gebroken zijn. Besmetting kan ook plaatsvinden tijdens de uitdrijvingsfase. Dit gebeurt bij circa de helft van de kinderen. In een enkel geval worden kinderen dan ziek. In minder dan eenderde van de gevallen wordt de baby pas ziek na de geboorte. Risicofactoren voor GBS-infectie zijn vroeggeboorte, langdurig gebroken vliezen en een blaasontsteking tijdens de zwangerschap. Aanwijzingen voor een infectie tijdens de baring zijn koorts bij de moeder en een snelle hartslag van de baby.

**Inductie:** Het inleiden ofwel opwekken van de baring met wee-enopwekkende middelen, meestal oxytocine of prostaglandine.

**Inknippen:** Een knip (of wel episiotomie) wordt gezet als blijkt dat het perineum (het stukje huid tussen vagina en anus) dreigt in te scheuren wanneer het hoofdje van je kind uit de schede komt. Soms is de huid rond de schede te strak gespannen of te dun, of is het hoofdje van het kind te groot vergeleken met de opening van de schede. Daarom wordt de huid rond de schede 2 à 3 cm ingeknipt om de opening te vergroten. Deze insnijding kan schuin zijn of verticaal. Bij inknippen geeft de arts vaak van tevoren een plaatselijke verdoving. Daardoor merk je van het inknippen zelf niet veel. Daarna kan het wel pijnlijk zijn. Een knip kan gezet worden door de verloskundige thuis of in het ziekenhuis.

**Langdurig gebroken vliezen:** Soms zijn je vliezen al gebroken, maar heb je nog geen weeën. Als die niet binnen 24 uur komen, is er kans op infectie. Je baarmoederholte staat dan immers in directe verbinding met de buitenlucht. Je moet dan naar het ziekenhuis voor controle. Het hangt af van je conditie en die van je baby en de inschatting van de gynaecoloog wat er verder gebeurt. Vaak mag je als het goed is weer naar huis en wordt er gewacht op spontane weeën. Maar als na 72 uur gebroken vliezen de bevalling nog niet begonnen is, wordt deze altijd in het ziekenhuis ingeleid met weeënopwekkers. De conditie van je kind wordt in de gaten gehouden met een ctg.

**Meconiumhoudend vruchtwater**: Als het vruchtwater groen of bruin is heeft de baby in het vruchtwater gepoept, vaak uit benauwdheid. Er is een kleine kans dat de baby een slechte conditie krijgt. In het ziekenhuis wordt daarom met een ctg de conditie van de baby in de gaten gehouden. Als alles goed gaat zijn er geen andere interventies nodig en mag je na de bevalling naar huis.

**Multiparae**: Vrouwen die zwanger zijn van een tweede of volgende kind.

**Niet vorderende ontsluiting**: Als je weeën niet effectief genoeg zijn of het zijn er te weinig dan gaat de ontsluiting te langzaam. Langzaam is een relatief begrip, maar over het algemeen kun je zeggen dat een ontsluiting te langzaam gaat als je vanaf het moment dat je 'in partu', dus echt aan het bevallen bent, minder dan één centimeter per uur ontsluit. De verloskundige zal eerst thuis of in de polikliniek proberen de weeën te stimuleren door het aannemen van een andere houding of door je te laten plassen of douchen. Baat dit niet, dan ga je naar het ziekenhuis, waar je onder continue bewaking een infuus krijgt met medicatie – meestal oxytocine – om de weeën wel effectief te maken.

**Niet vorderende uitdrijving**: Je hebt krachtige weeën nodig om je kind door het baringskanaal te kunnen persen. Soms zijn die niet meer krachtig genoeg, doordat je bijvoorbeeld bent uitgeput. De verloskundige kan je in dat geval naar het ziekenhuis sturen voor bijstimulering van de weeën met oxytocine. Meestal wordt – bij een eerste kind – een limiet van anderhalf tot twee uur thuis persen aangehouden als maximale duur om het zelf te proberen. Bij een tweede of derde wordt vaak sneller doorgestuurd naar het ziekenhuis.

**Nulliparae**: Vrouwen die zwanger zijn van hun eerste kind.

**Oxytocine**: Oxytocine is een weeënopwekkend hormoon. Samen met het hormoon prostaglandine zorgt het er mede voor dat je baarmoeder gaat samentrekken (contracties) en dat je effectieve weeën krijgt. Bij een goede baring komt er steeds meer oxytocine in je bloed, totdat je kind geboren is. Als je ontsluiting of uitdrijving niet vordert kan er in het ziekenhuis 'bijgestimuleerd' worden met kunstmatige oxytocine. Dan moeten wel eerst de vliezen gebroken zijn en de foetus in goede conditie zijn. Om dat te monitoren wordt je kind aan een ctg gelegd. Bijstimuleren gebeurt meestal bij een eerste kind en veel minder bij tweede of volgende kinderen. Oxytocine wordt ook gebruikt om de baring op te wekken, bijvoorbeeld als je over tijd bent. Oxytocine-injecties worden soms (ook thuis) gegeven na de geboorte om te zorgen dat de moederkoek sneller geboren wordt en om zo hevige nabloedingen te beperken.

**Serotiniteit**: Als de bevalling twee weken na de uitgerekende datum – dus na 42 weken – niet op gang is gekomen, wordt gesproken van 'overdragenheid' ofwel 'serotiniteit'. Vijf tot tien procent van alle zwangerschappen is 'serotien'. Na 42 weken loop je een hoger risico op problemen bij het kind. Soms voldoet de placenta minder goed, waardoor je kind geleidelijk minder voeding kan krijgen. De hoeveelheid vruchtwater wordt langzamerhand minder. En het komt vaker voor dat je baby in het vruchtwater heeft gepoept (meconium). In een zeldzaam geval kan je kind zelfs te weinig zuurstof krijgen. Daarom worden de controles vanaf 42 weken overgenomen door de gynaecoloog. Voor week 42 mag je thuis bevallen. Na 42 weken moet je bij de gynaecoloog en dus in het ziekenhuis bevallen. Soms krijg je al tussen 41 en 42 weken controles – een ctg en/of echo's – bij de gynaecoloog. Die informeert je meestal ook tot wanneer een eventuele thuisbevalling nog verantwoord is. Het is afhankelijk van je verloskundige of je naar de gynaecoloog gaat. Sommige praktijken sturen je standaard door bij 41 weken, andere niet. In de *richtlijn serotiniteit* van de NVOG staat dat 'vanaf 41 weken inleiden een even goede optie is als een afwachtend beleid'. Als je dat als ouder wil, mag je vanaf die tijd dus vragen om een inleiding bij de gynaecoloog.

**Strippen**: Om de baring op gang te brengen als je over tijd bent, zal de verloskundige of huisarts je meestal wel 'strippen', verloskundig jargon voor het met de vingers loswoelen van de vliezen tijdens een inwendig onderzoek. Dit gebeurt als er al wat ontsluiting is. Bij het strippen komen er bij de baarmoedermond hormonen vrij, die de bevalling op gang kunnen helpen. Het is wetenschappelijk aangetoond dat het strippen van de vliezen na 41 weken zwangerschap de kans op serotiniteit verkleint.

**Stuitligging**: Bij een stuitligging ligt niet het hoofd maar de billen van het kind tegen de baarmoedermond. Dat brengt twee gevaren met zich mee; de navelstreng kan uitzakken, zodat het kind kan stikken. En er kunnen problemen zijn met de geboorte, omdat het hoofdje als laatste komt. Op die gronden zijn er nogal wat voorstanders van een keizersnee bij stuitligging. Anderen wijzen erop dat indien het hoofdje niet te groot is en de bevalling goed vordert, de kans klein is dat deze problemen zich voordoen. Een normale vaginale bevalling is bovendien gunstiger voor de moeder. Als ontdekt wordt dat je kind in stuitligging ligt, zal de verloskundige of een gynaecoloog – uitwendig – met de handen proberen het kind te draaien. Dit gebeurt meestal rond de 37ᵉ week. Lukt dat niet en ligt het kind voor de bevalling nog in stuit, dan kun je in overleg met de gynaecoloog kiezen voor een keizersnee of vaginale bevalling. In 2006 lag 4,6 procent van de eenlingen in stuit.

**Tangverlossing**: Zie vacuümextractie.

**Totaalruptuur**: Het doorscheuren van de huid en het weefsel tussen de vagina en de anus, waarbij ook de kringspier rond de anus geheel of gedeeltelijk inscheurt. Een knip kan een totaalruptuur voorkomen, maar niet altijd. Om latere problemen met het ophouden van ontlasting te voorkomen, is het belangrijk om een totaalruptuur zorgvuldig te hechten. Dit gebeurt vaak in een operatiekamer, maar niet altijd.

**Uterusruptuur**: Het scheuren van de baarmoeder, door bijvoorbeeld een eerdere keizersnede.

**Vacuümextractie of tangverlossing:** Een vacuümextractie (vacuümverlossing) of forcipale extractie (tangverlossing) wordt gedaan als je kind het tijdens de bevalling benauwd krijgt of als je al lange tijd aan het persen bent, maar het hoofdje nog niet veel verder is gekomen. Bij een vacuümextractie wordt er op de schedel van het kind een vacuümcup geplaatst: een ronde zuignap van plastic of metaal van ongeveer vijf cm doorsnede. Aan de buitenkant van de cup is een slang aangesloten. Nadat de cup tegen de schedel van de baby is geplaatst, wordt via deze slang lucht uit de cup gezogen. Zodat de binnenkant van de cup stevig tegen de schedel aan zit. Aan de bolle kant van de cup zit een soort van 'ketting'. Terwijl je zelf meeperst, trekt de gynaecoloog daar tijdens de weeën aan. Hij of zij stopt hiermee zodra het hoofdje geboren is, de cup laat dan meteen los. Om pomp of tang te kunnen gebruiken, wordt het onderste deel van het bed waarop je ligt ingeklapt. Op het deel waar je benen lagen, worden beensteunen geplaatst, net als bij inwendig onderzoek op een gynaecologische stoel. De gynaecoloog kan zo tussen je benen in staan. Als de gynaecoloog denkt dat het geboortekanaal niet groot genoeg is voor het hoofd en er een risico bestaat dat je bekkenbodem gaat scheuren, zal hij je voor de ingreep inknippen. Dit gebeurt bijna altijd bij een tangverlossing. Bij een vacuümpomp is het niet altijd noodzakelijk. Het inbrengen van vacuümcup of tang kan pijnlijk zijn, daarom krijg je meestal voor de ingreep een plaatselijke verdoving.

Mogelijke complicaties: Je kind kan een bloeduitstorting op het hoofd krijgen. Deze complicatie wordt wat vaker gezien bij een vacuüm- dan bij een tangbevalling. De bloeduitstorting verdwijnt vanzelf. Wel kan je kind daarna hoofdpijn hebben en soms wat misselijk zijn. Bij een tang- of vacuümbevalling loop je meer risico op een totaalruptuur.

Of je een tangverlossing of een vacuümverlossing krijgt hangt onder andere af van de ligging van het kind en de indaling van het hoofd.

**Meer informatie**:

De site van de Nederlandse Vereniging voor Obstetrie en Gynaecologie (NVOG) geeft veel goede informatie over allerlei ingrepen tijdens de bevalling.

Zie **www.nvog-documenten.nl**

# Noten

1.  *RIVM, CBS, TNO* plus S. Anthony e.a. *Thuisbevallen in Nederland.* Trends in de jaren 1995-2002 in: Tijdschrift voor Verloskundigen, december 2005

2.  Johnson K.& Daviss B. 2005, 'Outcomes of planned home births with certified professional midwives: large prospective study in North America' BMJ 2005; 330: 1416 en Marloes S. Maassen e.a. *Operative Deliveries in Low-Risk Pregnancies in The Netherlands: Primary versus Secondary Care.* Birth 35: 4 december 2008

3.  De Jonge e.a. *Perinatal mortality and morbidity in a nationwide cohort of 529688 low-risk planned home and hospital births.* BJOG 2009

4.  *KNOV-standaard Prenatale Verloskundige begeleiding*

5.  TNO Kwaliteit van Leven

6.  *Hoe bevalt de zwangerschap.* Cahiers Stichting Bio-Wetenschappen en Maatschappij, 23ᵉ jaargang, nr. 4, maart 2005 en *Jaarboek Zorg in Nederland. Baring in 2006. www.perinareg.nl*

7.  *Jaarboek Zorg in Nederland. Baring in 2006. www.perinareg.nl*

8.  *Hoe bevalt de zwangerschap.* Cahiers Stichting Bio-Wetenschappen en Maatschappij. 23ᵉ jaargang, nr. 4, maart 2005

9.  De Jonge e.a. *Perinatal mortality and morbidity in a nationwide cohort of 529688 low-risk planned home and hospital births.* BJOG 2009

10. Marloes S. Maassen e.a. *Operative Deliveries in Low-Risk Pregnancies in The Netherlands: Primary versus Secondary Care.* Birth 35: 4 december 2008

11. Nederlands tijdschrift voor Obstetrie & Gynaecologie, vol. 120. november 2007

12. V. Verfaille e.a. *Hoe bevalt het?* In: Nederlands tijdschrift voor Obstetrie en Gynaecologie, vol. 121, februari 2008

13. J.E.Lally e.a. *More in hope than expectation: a systematic review of women's expectations and experience of pain relief in labor.* BMC Med, maart 2008; 6:7. (PubMed)

14. J. Nijhuis e.a. Peristat II. Hoofdstuk 3. *Hoe bevalt Nederland.* In: Tijdschrift voor Verloskundigen, april 2009

15. De Jonge e.a. *Perinatal mortality and morbidity in a nationwide cohort of 529688 low-risk planned home and hospital births.* BJOG 2009

16. *Perinatale Registratie Nederland. 2006*

17. A.C.J. Ravelli, G.J. Bonsel e.a. *Perinatale sterfte in Nederland gedurende 2000-2006; risicofactoren en risicoselectie.* Nederlands Tijdschrift voor Geneeskunde, 2008; 152; 2728-33. TNO-onderzoek A. de Jonge plus Sterfte rond de geboorte. Te downloaden van www.nationaalkompas.nl

18. Onder meer Anneke Kwee, proefschrift Sectio Caesarea in Nederland, 2005

19. Rijnders M. e.a. *Perinatal Factors Related to Negative or Positive Recall of Birth Experience in Women 3 Years Postpartum in the Netherlands.* Birth, vol. 35: nr. 2; pagina 107-116, juni 2008

20. Christiaens, W., Bracke, P., *Place of birth and satisfaction with childbirth in Belgium and the Netherlands,* Midwifery, 2007

21. KNOV-standaard Prenatale Verloskundige begeleiding

22. Nivel. Cijfers uit de registratie van verloskundigen, peiling 2007

# Dankwoord

Na mijn bevalling zeg ik nooit meer dat iets 'een bevalling' is. Toch kwam het schrijven van dit boek daar wel dicht bij in de buurt. Anderhalf jaar lang heb ik hier onbezoldigd aan gewerkt. Het boek zou er echter nooit gekomen zijn als ik geen medewerking had gekregen van tientallen verloskundigen, huisartsen, gynaecologen en hoogleraren die mij achtergrondinformatie en cruciale quotes verschaften. Daarnaast waren er natuurlijk ook al die vrouwen en mannen die hun verhaal vertelden: openhartig en zonder omhaal. Hulde!

Speciale dank is er voor verloskundigen Heleen Kool, Govi Hoskam en Xandra Verhoeven, die mij een eerlijke en open blik op hun werk gunden en die het mogelijk maakten dat ik getuige was van drie onvergetelijke bevallingen. Ik dank Kees Yedema voor de dienst die ik in zijn ziekenhuis mocht meelopen en al het personeel van het UVC Utrecht die mij inwijdden in hun wereld en daardoor een belangrijke bron waren voor mijn boek. Verder wil ik ook Daniëlle en Babah bedanken, die mij bij de geboorte van hun tweede dochtertje lieten zijn; als vanzelfsprekend. Zonder jullie zou dit boek minder uniek zijn geweest.

Hellen Kooijman, augustus 2009

E